# Géminis

*La guía definitiva del increíble signo zodiacal de la astrología*

# Tabla de Contenidos

# Introducción

Las revistas, los periódicos y otros artículos comerciales relucientes han arruinado el fascinante encanto de la astrología. Muchos individuos la reconocen como un fenómeno asombroso, también conocido como un campo de estudio formal. Si usted se encuentra entre aquellos individuos, entonces ha llegado al lugar correcto. Esta guía práctica ha sido creada para que los lectores interesados (como usted) puedan saber más sobre las personas, las estrellas, las cartas y los planetas que nos rigen.

El aspecto más interesante de la astrología gira en torno a la interpretación de la personalidad a través de las cartas y los signos, pero debe saber que no es tan sencillo. Este campo ha sido reconocido como un estudio formal debido a la naturaleza lógica de las interpretaciones que permite, en lugar de la burla presentada por varios medios de comunicación. Hay una ciencia detrás basada en las cartas natales. Con las cartas natales, la gente puede señalar la ubicación del Sol, la Luna y otros planetas/estrellas diferentes para interpretar los tipos de personalidad. Las cartas natales eran muy caras; con la evolución de la tecnología, realizarlas se convirtió en una tarea bastante sencilla y fácil de realizar. Ahora, puede obtenerlas de varios sitios en línea con solo introducir su hora de nacimiento. Cabe destacar que este proceso es gratuito.

Estos esquemas pueden ayudar a determinar los rasgos que probablemente heredará una persona. Estas interpretaciones no siempre son blancas o negras. Por eso, a los expertos en la materia les molesta tanto ver cómo se presentan los horóscopos en las revistas. Hay una serie de signos en la carta natal que se emplean para interpretar diferentes aspectos de la personalidad de una persona. Los signos solares son los doce símbolos más comunes representados en la astrología occidental. Muchas personas los conocen por su fecha de nacimiento, pero los signos lunares también se utilizan para interpretar la personalidad, el comportamiento y las emociones, y no solo los atributos básicos y los talentos relacionados con un individuo.

Este libro se centrará en un tema específico en lugar de abordar todo el espectro del enorme campo conocido como «astrología». Se centrará en uno de los signos solares, llamado «Géminis».

Este capítulo introductorio examinará las características significativas de este signo y en el por qué este estudio es fascinante. También se hablará de cómo utilizar este recurso de forma eficaz, explicando la importancia de cada uno de los diferentes capítulos a tratar.

### Los Géminis

Las personas nacidas entre el 21 de mayo y el 20 de junio pertenecen al signo zodiacal de Géminis. Géminis, el nombre en sí, no es inglés, sino latín. La traducción de esta palabra latina significa «gemelos». Hay mucho de cierto en esta traducción, uno de los rasgos de personalidad más común de los géminis es su dualidad. Esto significa que los Géminis son más sugerentes que otros signos, y que lo que expresan puede ser completamente opuesto a su estado de ánimo un par de minutos antes. Esto no significa que tengan dificultades para decidir qué hacer o que tengan tendencias «bipolares». Solo significa que sus personalidades son únicas, pues expresarán esta naturaleza dual. Si usted es un Géminis, puede dar fe de este rasgo.

Esta sección profundiza en los aspectos comunes relacionados con este signo (como el aspecto de la dualidad); en los capítulos siguientes encontrará explicaciones más detalladas. También hablaremos de la información clave que todos los géminis deberían conocer sobre su signo zodiacal. Sin hablar de este tema, esta guía estaría incompleta.

Lo primero que los Géminis deben conocer es el símbolo y el glifo que se utilizan habitualmente para representar el signo zodiacal. Hay diferencias entre los dos términos (símbolo y glifo) que se explican en esta sección. El símbolo de un signo zodiacal es una representación más gráfica del signo y suele representarse con personajes de la mitología griega. En este caso, los gemelos «Dioscuros» suelen ser el símbolo representativo del signo zodiacal de Géminis. Cástor y Pólux eran hijos de Leda, pero tenían padres diferentes, aunque eran gemelos. Esto puede sonar raro y fantasioso, pero resulta ser un símbolo muy acertado, ya que representan dos personalidades contrastantes. Este símbolo enfatiza la naturaleza dual del signo zodiacal.

Un glifo es un símbolo elemental utilizado en muchos aspectos de la tipografía. La gente suele convenir en un glifo para representar un conjunto de símbolos o caracteres de una carta compleja o para otras funciones. Así, las cartas del zodiaco también tienen su propio conjunto de glifos, donde cada uno representa un signo del zodiaco. Muchas revistas y artículos sobre el zodiaco disponibles en el mundo utilizan los términos «símbolo» y «glifo» indistintamente. Lo hemos aclarado para facilitar al lector la comprensión de la jerga que gira en torno a los signos zodiacales. El glifo del signo zodiacal de Géminis es el número romano dos. También caracteriza el aspecto dual de este signo, pero es mucho más fácil de escribir/hacer que el símbolo de este signo zodiacal. Otros glifos de las cartas del zodiaco también tienen un significado importante y pueden descifrarse fácilmente si se reflexiona al respecto. Por ejemplo, el símbolo de Sagitario está relacionado con el «centauro» (también una criatura mítica de la mitología griega) que es un reconocido arquero. Su glifo es un dibujo simple de un arco y una flecha. Ahora que conoce esta importante diferencia, es momento de aprender más sobre Géminis.

A cada signo se le adjudica un «planeta regente» a través del cual se puede descifrar el patrón principal de su personalidad. Los planetas regentes demuestran que los signos del zodiaco tienen un vínculo importante con la astrología, y aprender sobre esta conexión aclarará todos los conceptos erróneos.

Los planetas son los factores decisivos principales de todo lo que se expresa a través de los signos del zodiaco. Esto pareció ocurrir por primera vez cuando los primeros astrólogos observaron los planetas y sus energías y establecieron paralelismos con los signos del zodiaco y sus cualidades. Como Neptuno, Urano y Plutón no estaban identificados en aquella época, no se les adjudicó ningún signo. Los astrólogos modernos han asociado estos planetas recién descubiertos con los signos, ya que esta rama de la ciencia sigue desarrollándose y haciendo nuevos descubrimientos. Estas asociaciones con los signos del zodiaco se realizaron después del siglo XVIII, mientras que otros emparejamientos más antiguos se mantienen sin cambios. Estas asociaciones pueden seguir cambiando a medida que se realicen nuevas exploraciones en el campo, pero surge una pregunta importante: ¿cómo se utilizan los planetas para interpretar los signos del zodiaco?

Para responder a esta pregunta, debemos examinar los detalles que los astrólogos observan al leer las cartas. En primer lugar, cada signo tiene un planeta regente (o dos) cuyas energías y cualidades ejercen una influencia primordial sobre las dimensiones de la personalidad de alguien. Si su signo solar está en Géminis, su planeta regente es Mercurio. Los griegos primero relacionaron los planetas con las estaciones del año y no con estos signos. Con el tiempo, los astrólogos desarrollaron técnicas complejas que permitieron realizar interpretaciones más específicas (en lugar de interpretaciones según las estaciones). Los planetas son como un archivo o un conjunto de datos que los astrólogos utilizan cada vez que quieren interpretar una carta natal. Observan las constelaciones de planetas según su posición respecto al signo para interpretar los rasgos principales de la personalidad. El planeta regente y el signo son los puntos centrales para el astrólogo cuando mira las cúspides de las casas en una carta. Esto nos lleva a otro elemento clave utilizado en la interpretación del zodiaco: las «casas».

La principal interpretación de las cartas zodiacales depende de las «casas» que el astrólogo elige de antemano. Las casas componen la carta, y sus posiciones se basan en la ubicación y el tiempo más que en una fecha. Por ejemplo, en una carta natal, si un astrólogo conoce la hora exacta del nacimiento, obtendrá una interpretación muy precisa. A menudo, puede que no se conozca la hora exacta, lo que limita a los astrólogos a utilizar la salida del sol como instrumento de cálculo de la casa. Esto puede producir resultados incorrectos para el astrólogo.

Como se ha visto en el ejemplo anterior, la estimación de las casas de una carta depende del movimiento de la Tierra a lo largo de su eje y de la órbita del Sol. Pero la diferencia de opiniones (diferencias matemáticas) entre los astrólogos ha creado numerosas formas de calcular las casas y, por tanto, ha producido una serie de «sistemas de casas» diferentes. Las diferentes tradiciones (culturas) tenían sus propias maneras de hacer las cosas, y por lo tanto también tenían diferentes sistemas de casas. Por ejemplo, en la tradición hindú, las casas se conocían como «Bhavas». Pero uno de los sistemas más comunes que se conocen en el hemisferio occidental se llama sistema «*Placidus*».

En general, las casas son una división del plano de la «eclíptica». Este plano contiene la órbita del Sol vista desde la Tierra; muchos sistemas de casas también consideran el movimiento de otras estrellas y planetas de nuestra galaxia. El sistema *Placidus* divide el movimiento planetario y estelar encima y debajo del horizonte. Esta división se realiza en partes iguales, y el número de casas es de doce.

Las seis primeras casas suelen denominar los espacios debajo del horizonte, y las otras seis se asocian con la parte de arriba.

Las casas dependen de la hora exacta, por lo que se trata de un sistema orientado según el tiempo (Astro Dentista, 2020). Giovanni Magini desarrolló este proceso alrededor del siglo XVI, pero el matemático Placidus Titis lo perfeccionó; de ahí que el proceso lleve su nombre. El sistema no se puede utilizar para regiones de los círculos polares debido a las complicaciones matemáticas propias del momento de su desarrollo.

Existen muchos otros sistemas de casas, como el sistema de Koch, el de Capmanus y el de Regiomontanus, pero la explicación de cada uno de ellos puede llenar toda esta guía, restando protagonismo al tema. Se ha considerado necesario incluir esta explicación breve de las casas, para ofrecer una base histórica y científica del funcionamiento de los horóscopos.

Otra visión de la historia del desarrollo de este campo se ve reflejada en la imagen de una esfera tradicional de signos y casas del zodiaco. Muestra un antiguo disco construido para representar las divisiones según las casas, en función de la hora del día. La idea subyacente parece ser la de un reloj de sol. La sombra del Sol parece interpretar la posición del tiempo en el «plano» utilizado, pero su funcionamiento correcto no nos importa, ya que lo importante es su significado histórico. Demuestra lo lejos que ha llegado la astrología, desde los discos físicos que necesitaban expertos para descifrar la posición de los planetas en el momento del nacimiento, hasta tener páginas web que lo hacen solas. Esta explicación debería dar a los lectores una inmensa comprensión de cómo funciona en el fondo la lectura del horóscopo de alguien. Así, los astrólogos fusionan efectivamente el sistema de casas (relacionado con el eje de la Tierra) junto con la rueda del zodiaco (relacionada con el movimiento del Sol) para leer las cartas y hacer interpretaciones u horóscopos.

Volviendo al tema principal, se puede establecer una conexión entre las casas y su relación con los signos. Cada casa es vista como un área/parte de la vida y está regida/asociada con un signo solar (como Géminis). Muchos astrólogos entienden que las casas están regidas por un signo, al igual que los signos tienen un planeta regente. Esta interpretación se deriva del hecho de que cada una de ellas sobresale en una parte concreta de la vida (la parte de la vida que representa la casa).

Normalmente se considera que la tercera casa está regida por el signo solar Géminis. Tiene un título moderno y un nombre tradicional en latín. El título moderno es «la Casa de la comunicación». Como el título dice, está relacionada con la comunicación. Se ha vinculado con razón a Géminis, ya que se ha establecido que los Géminis no temen ser demasiado expresivos. La tercera casa está asociada a todas las formas de información, empezando por el habla/pensamiento básico y abarcando todas las formas de transmisión electrónica.

Un dato interesante de la tercera casa es que abarca las relaciones con la comunidad, los vecinos y los hermanos. Esto significa que un signo situado en esta casa en las cartas natales tendrá relaciones decentes a lo largo de su vida. Manejar tales relaciones es una tarea bastante fuerte que le resulta natural a los Géminis, lo que también demuestra que han sido correctamente ubicados en esta casa.

Otra cosa clave que hay que tener en cuenta sobre las casas es que los astrólogos sacan varias conclusiones cuando los diferentes planetas transitan por cada casa. Así, si un planeta transita por la tercera casa, los signos asociados a él reciben información integral sobre su comunidad/red. Normalmente, los Géminis nacen en meses en los que la alineación de los planetas les permite compartir los rasgos gobernantes de estos dos aspectos: las casas y los planetas/estrellas.

Lo siguiente que hay que saber sobre los signos del zodiaco es su asociación con los cuatro elementos básicos. A lo largo de su desarrollo, los estudiosos han asociado los signos del zodiaco con el fuego, el agua, el aire y la tierra. Los intérpretes pueden hacer mejores interpretaciones, ya que las relaciones con elementos pueden mostrar paralelismos con los intercambios entre los signos asociados con estos. Por ejemplo, la tierra necesita agua para prosperar (alimento para el crecimiento), y el agua existe naturalmente en la tierra, por lo que los signos de agua y tierra pueden ser típicamente buenas almas gemelas. Aries, Leo y Sagitario se consideran signos de fuego, mientras que Tauro, Virgo y Capricornio son signos de tierra. Del mismo modo, Géminis, Libra y Acuario son signos de aire, y Cáncer, Escorpio y Piscis son signos de agua. Hay muchas interpretaciones complicadas de estas categorías elementales (triplicidades) que tienen en cuenta los planetas y los diferentes signos, pero explicarlo puede ser muy engorroso y es mejor dejárselo a un astrólogo. Lo que nos debe ocupar son las implicaciones que tiene Géminis como signo de «aire».

Estos cuatro componentes son muy relevantes para este estudio, ya que sus combinaciones constituyen el mundo que nos rodea. Así pues, nos corresponde conocer el tipo de energía que demuestra cada uno de los elementos para comprender mejor el resultado de sus combinaciones. Cada elemento conforma al signo y sus rasgos naturales, y de tal manera quien pertenece a un signo puede ser quien es. Esta interpretación elemental añade otra capa de complejidad al tema, y pieza a pieza, acabaremos por desentrañar toda la cebolla La complejidad añadida permite a los astrólogos concebir una carta más compleja y precisa, que conduce a interpretaciones realistas.

Se suele considerar que el aire es el elemento de las personas intelectuales, ya que parecen prosperar con las conexiones mentales. Todos los signos de aire son buenos comunicadores, y también lidian razonablemente bien con los argumentos de los demás. La perspectiva de todo cambia cuando se ve a través de los ojos de alguien con un signo de aire, ya que su análisis suele ser único, y su proceso de pensamiento también es muy especial. La cualidad particular de los signos de aire es su capacidad de empatía. Pueden comprender el dolor y las dificultades de otra persona si se concentran en un caso durante mucho tiempo, y pueden hacerlo, ya que son individuos muy curiosos.

En general, el aire significa el espacio circundante, y es muy importante para la supervivencia humana. Así mismo, la sabiduría es vital para que el espíritu prospere, y los pertenecientes a los signos de aire son conocidos por ser portadores de conocimiento. Este es un rasgo vital para los signos de aire debido a la naturaleza analítica de su pensamiento. Esto no significa que sean más inteligentes que los demás, sino que son más completos que los demás debido a su capacidad mental para procesar todo lo que les rodea a un ritmo mucho más rápido. Su capacidad de escuchar y razonar desempeña un papel importante en su integridad, lo que les permite ser también buenos comunicadores (PeacefulMind.com, s.f.).

El aspecto negativo de este signo es la autoevaluación que acompaña a la naturaleza mental de estos individuos. Tienden a evaluarse a sí mismos con más dureza que al mundo. Esto es probablemente algo positivo en muchos casos, pero en otros puede ser desmoralizador... aunque los bajones en la vida suelen ir seguidos de buenos momentos, y esta autoevaluación está destinada a mejorar resultados más pronto que tarde para los signos de aire. Los signos de aire también tienen un estándar específico para sí mismos que se esforzarán por cumplir siempre. Esto suele estar asociado a mantenerse limpios, mantener su higiene y cumplir con un determinado modelo de rendimiento laboral, entre otras cosas. Esta naturaleza egoísta les hace sobresalir en determinadas partes de su vida, pero puede ser fastidiosa en otras.

Los signos de aire suelen ser empáticos, como se ha comentado, pero son conocidos por guardar rencor si se les enfada hasta cierto punto. También son propensos a la violencia física a veces, ya que su ira no se olvida, a diferencia de la ira del signo de fuego, pero una cosa que hay que tener en cuenta aquí es que es muy difícil hacerles enfadar, y por lo tanto, si los enfada, probablemente se equivocó El rencor puede desaparecer casi de inmediato si intenta arreglar las cosas con ellos debido a su naturaleza empática y a su capacidad para escuchar a los demás. Los signos de aire se asocian con los colores azul, blanco y amarillo y tienen predilección por determinadas piedras. Las piedras preciosas son el siguiente punto importante de los Géminis.

Las piedras preciosas son una parte integral de la teoría del zodiaco, ya que ayudan a desbloquear ciertos «poderes». Son como las piedras de nacimiento, pero la astrología las ha asociado a los signos solares. Cada signo tiene una o dos gemas que pueden ayudar en ciertos aspectos de su vida. Se sabe que las gemas tienen poderes protectores y curativos que obligan a mucha gente a tenerlas en sus casas o con ellos en todo momento. Algunos también creen que les dan suerte y pueden ser muy supersticiosos con sus piedras preciosas.

Para el signo de Géminis, el ágata y la perla son dos piedras muy comunes. Representan los colores con los que se han asociado los signos de aire y son un reflejo de su persona. Los Géminis, mentalmente activos, pueden beneficiarse de la esencia aterrizada de las piedras. Pueden recordar estar tranquilos y pueden superar situaciones muy duras si utilizan esta piedra como un adorno que mantienen cerca de sí en todo momento. También se sabe que es una protección espiritual y que puede ayudar a evitar el drenaje de energía y a eliminar el estrés. Su aura divina puede ayudar a la estimulación mental, así como a la toma de decisiones. Muchos géminis son muy exigentes con sus adornos de ágata y perla y los llevan a todas partes para que les ayuden en las decisiones difíciles (Melorra, 2020).

Ahora que se han cubierto todos los elementos clave de la interpretación del zodiaco, tendrá una idea de dónde vienen estas interpretaciones. Esto es clave para entenderse a sí mismo y a su signo de una manera más profunda. Estas claves pueden utilizarse para comprender todos los demás capítulos que siguen, ya que se centrarán en los rasgos de la personalidad y las relaciones de Géminis. Estas explicaciones también son muy útiles para comprender otros signos como el de Acuario, ya que ambos se encuentran en la región del aire. El método de explicación de esta guía es «de los cimientos al tejado» en lugar de ser una descripción desde el tejado hasta los cimientos. Esto significa que primero se explican los conceptos y luego se dibuja el panorama general al final. Esta forma parece mucho más interesante, ya que todos los puntos de vista explicados en esta introducción son clave para las explicaciones de los capítulos siguientes.

### Diferentes perfiles de Géminis

Sería inútil limitarse a contar los rasgos básicos de los signos del zodiaco sin una explicación adecuada, ya que esa información puede encontrarse en cualquier lugar de Internet. Esta guía divide la vida de una persona en muchos aspectos/períodos para que sea más fácil explicar los rasgos de este signo solar. Otra ventaja de este estilo único es que permite una mayor legibilidad y navegación por la guía. Esto significa que usted, como lector, puede ir a cualquier capítulo y buscar la información pertinente de forma infatigable. También hace que sea mucho más fácil de leer e interactivo. En esta sección se hace una breve introducción a cada uno de los diferentes perfiles que se explican en los siguientes capítulos para que sepa en cuál puede clasificar.

El temperamento básico de Géminis es siempre activo en todas las etapas de la vida, lo sepa o no. Esto es algo sobre lo que las personas necesitan tomar conciencia, y por eso se presenta como el primer capítulo de esta guía. En este se explican los «puntos fuertes y débiles» básicos y más evidentes de los rasgos de personalidad de Géminis. Pueden asociarse a todas las edades y a todos los Géminis en cualquier etapa de su vida.

Los niños son diferentes de los adultos, ya que prácticamente no tienen responsabilidades y tienen una visión única de la vida. Muchos de los rasgos clave que los Géminis muestran en sus primeros años de vida son el resultado de sus inquisiciones. Esta puede ser la primera señal de que el niño está siguiendo un camino de Géminis establecido, lo que conduce a una identidad general equilibrada en el futuro. Los adultos deberían permitirles aprovechar esta personalidad, ya que en pocos años se convertirán en su ser mentalmente curioso y analítico.

Los Géminis en el trabajo funcionan de forma diferente, por lo que este también es un perfil a analizar. Esto puede aplicarse a todo el mundo, ya que todos nos comportamos de forma diferente en distintos entornos sociales. Tienen un conjunto de habilidades únicas que son esenciales para sobresalir en muchos trabajos, por lo que se puede observar a los Géminis participar en debates analíticos y resolver problemas en situaciones sociales difíciles, así como llevando a cabo el propio trabajo. Pueden establecer relaciones estrictamente profesionales y disfrutar de su trabajo al mismo tiempo. Trabajan con una excelente convicción y su capacidad de análisis les ayuda a mantener el interés en sus tareas. Este es un perfil muy interesante que se asocia a muchos Géminis trabajadores y al que se puede acceder en el quinto capítulo de esta guía.

Los Géminis en otras reuniones sociales se comportan de forma muy diferente a cuando están en el trabajo. Este perfil es quizás el más comentado por muchos astrólogos a la hora de interpretar su horóscopo. En los eventos y las fiestas, siempre participan en debates divertidos, llenos de humor y atractivos, ya que son los maestros de la comunicación. Su espíritu se nutre de esta actividad y obliga constantemente a los Géminis a ganarse la confianza de nuevas personas. Esto les permite hacer amigos con más facilidad que los demás signos. Este interesante análisis se trata con más detalle en el apartado del cuarto capítulo.

Cuando están enamorados también es un caso interesante. Su naturaleza dual se observa con frecuencia en las relaciones, y puede ser la causa de su perdición. Al mismo tiempo, puede ser el principal factor para que la relación siga funcionando. Son personas únicas, por lo que su vida amorosa es tan complicada como única.

Dentro de los espacios seguros de sus hogares, los Géminis también son bastante diferentes de cualquiera de los otros perfiles que hemos comentado. Como tienen una capacidad mental superior a la de otras personas, pueden aburrirse rápidamente. Por eso, mientras están en casa, siempre buscan algo en lo que ocupar su tiempo. También pueden perder el interés en sus tareas debido al rasgo de dualidad tan dominante.

Algunas de las celebridades más populares de Géminis son Sir Ian McKellen (famoso por interpretar a Gandalf), Octavia Spencer, Amy Schumer, Tom Holland, Heidi Klum, Angelina Jolie y Michael Cera. Las personas que los siguen podrán reconocer los rasgos clave de los Géminis en su comportamiento después de repasar esta guía.

# Capítulo 1: Una rápida introducción - Soles, Lunas y Casas

La astrología es uno de los lenguajes más antiguos del mundo, y utiliza los signos del zodiaco, los planetas y las casas para componer la carta natal. Esta carta traza el lugar en el que se encontraban las estrellas, el sol, la luna y los planetas en el momento y el lugar en de su nacimiento. Si alguna vez se ha preguntado por qué la luna llena tiene un efecto extraño en usted, esta es la razón.

Hay tres puntos principales en su carta natal, que mapean su personalidad: el sol, la luna y el ascendente. Todos conocemos nuestro signo solar, pero pocos somos conscientes de nuestros signos lunares y ascendentes. Entender lo que significa todo esto puede influir en todo lo que haga en la vida.

Los tres, el sol, la luna y el signo ascendente, tienen un signo zodiacal concreto de su carta. Cada signo del zodiaco pertenece a un grupo elemental, agua, tierra, aire o fuego, y tiene una cualidad asociada: cardinal, mutable o fija. Cada uno tiene también un regente planetario.

## El signo solar

El Sol proporciona su identidad, lo que brilla ante todos. Es la fuerza que le impulsa a ser lo mejor que puede ser. Representa sus experiencias vitales y su individualidad, el tipo de energía necesaria para ayudarle a revitalizarse, y cómo recarga las pilas.

Si su signo solar es uno de los signos de aire, Libra, Géminis o Acuario, se expresa intelectualmente y utiliza los entornos sociales para recargarse y revitalizarse.

Si su signo solar es uno de los signos de fuego, Aries, Sagitario o Leo, la aspiración y la inspiración le motivan, y utiliza la actividad física para revitalizarse, además de perseguir objetivos vitales específicos.

Si su signo solar es uno de los signos de tierra, Virgo, Tauro o Capricornio, le motiva el sentido práctico y el materialismo. Se revitaliza a través de la productividad, la intensificación de sus sentidos y el trabajo en el mundo físico, no espiritual.

Si su signo solar es uno de los signos de agua, Piscis, Escorpio o Cáncer, el deseo emocional le motiva. La experiencia emocional y la intimidad con la gente le revitalizan.

## El signo lunar

Su signo lunar representa el alma de su identidad, la parte subconsciente que nadie ve. Esta es la parte que impulsa sus emociones y le ayuda a sentir dolor, placer, pena y alegría. Le ayuda a entender cómo y por qué reacciona como lo hace en situaciones emocionales.

Si su signo lunar es uno de los signos de aire, Libra, Géminis o Acuario, este representa cómo reacciona al cambio y lo evalúa objetivamente. La interacción social le ayuda a alinearse con su yo interior, al igual que expresar sus ideas.

Si su signo lunar es uno de los signos de fuego, Aries, Sagitario o Leo, utiliza la acción directa para reaccionar al cambio. Cuando expresa confianza, les da la espalda a los discursos negativos y muestra su fuerza, se alinea perfectamente con su yo interior.

Si su signo lunar es uno de los signos de tierra, Virgo, Tauro o Capricornio, afronta el cambio con estabilidad y firmeza. Trabajar por sus objetivos personales y ser productivo le ayuda a alinearse con su yo interior.

Si su signo lunar es uno de los signos de agua, Piscis, Escorpio o Cáncer, utiliza la emoción y la sensibilidad para afrontar el cambio. Cuando siente algo profundamente, se alinea con su ser interior, pero nunca debe olvidar poner el amor propio por delante de cualquier otra cosa.

## El signo ascendente

Su signo saliente también se denomina signo Ascendente, y representa su personalidad social. Se relaciona con el signo zodiacal o solar que se elevaba sobre el horizonte oriental al momento de su nacimiento. Representa su cuerpo físico, el estilo que presenta al mundo. Es una combinación, una manifestación si se quiere, de su mundo exterior e interior, que le ayuda a comprender su enfoque en la vida y el tipo de energía que necesita su cuerpo físico.

Si su signo ascendente es uno de los signos de aire, Libra, Géminis o Acuario, es amable, curioso, rápido mentalmente y le gusta hablar. Su enfoque de vida suele estar alineado con el deseo de comprenderlo todo y a todos quienes conoce.

Si su signo ascendente es uno de los signos de fuego, Aries, Sagitario o Leo, es una persona activa, contundente, segura de sí misma y que va al grano. Tiene mucha energía física y la utiliza a su favor para dejar su huella.

Si su signo ascendente es uno de los signos de tierra, Virgo, Tauro o Capricornio, se centra principalmente en el mundo físico y es práctico. Su enfoque de vida es firme, y eso ayuda a que los demás se sientan a gusto, especialmente cuando la vida es estresante.

Si su signo ascendente es uno de los signos de agua, Piscis, Escorpio o Cáncer, es empático y sensible; su entorno tiene una influencia directa sobre usted. Su enfoque de vida es emocional y profundo.

## Las doce casas

Cuando los planetas visitan alguna de las casas, esa parte de su carta se ilumina, añadiendo energía a los rasgos específicos de la Casa. Los astrólogos utilizan estas casas para interpretar las áreas de su vida que se pondrán de relieve, permitiéndoles determinar el mejor curso de acción en un momento dado.

Las casas 1 a 6 son las casas personales, mientras que las seis últimas son las casas interpersonales.

• Casa 1 - El comienzo del zodíaco, lo primero de todo, incluyendo el yo, las impresiones y la apariencia, los nuevos comienzos, la iniciativa del liderazgo y los nuevos comienzos. Regido por Aries, el signo de la cúspide de la Casa 1 es el signo ascendente.

• Casa 2 - Se relaciona con el entorno físico y material, incluyendo los sentidos: tacto, gusto, olfato, oído y vista. Está regida por Tauro y es responsable de la autoestima, el dinero y los ingresos.

• Casa 3 - Rige la comunicación, incluyendo los aparatos, las conversaciones, los dispositivos como los teléfonos móviles y el pensamiento. Regida por Géminis, cubre los asuntos de la comunidad, los viajes, las escuelas, la comunicación, las bibliotecas, el vecindario y los hermanos.

• Casa 4 - Regida por Cáncer, esta casa se encuentra en la parte inferior de la rueda y es responsable de los cimientos, incluyendo la privacidad, el hogar, los padres (especialmente la madre), la seguridad, los niños, el cariño y la crianza.

• Casa 5 - Regida por Leo, esta Casa es responsable de la autoexpresión, el color, el drama, la diversión, el romance, la atención y el juego.

• Casa 6 - Responsable de la salud y el servicio, incluyendo la organización, los horarios, el estado físico, la nutrición, el ejercicio, la vida sana y las rutinas. Regida por Virgo, también abarca la capacidad de ayuda y lo que hace por los demás.

• Casa 7 - Esta casa es responsable de las personas y las relaciones. Regida por Libra, abarca las relaciones profesionales y personales, los asuntos relacionados con esas relaciones, el matrimonio, los contratos y los negocios.

• Casa 8 - Una de las casas más misteriosas, rige el sexo, el nacimiento, la muerte, los misterios, la transformación, la fusión de energías y los vínculos profundos. Regida por Escorpio, rige la propiedad, el dinero, la herencia, los bienes inmuebles y las inversiones.

• Casa 9 - Esta casa rige los viajes de larga distancia e internacionales, la mente superior, la inspiración, las lenguas extranjeras, el optimismo, la expansión, la difusión, la publicación y la educación superior. Regida por Sagitario, también abarca la religión, los juegos de azar, la asunción de riesgos, la suerte, la aventura, la ética y la moral.

• Casa 10: la más alta de la rueda y la más pública, rige la unión, la imagen pública, las estructuras, la tradición, los honores, la fama, los premios y los logros, las reglas, la autoridad, la disciplina y la paternidad. Regida por Capricornio, la cúspide también se conoce como el Medio Cielo, lo que da a los astrólogos una idea sobre su trayectoria profesional en la vida.

• Casa 11 - Esta casa es la responsable de los grupos, la amistad, los equipos, la tecnología, la sociedad, los medios electrónicos, la justicia social, las redes, la rebelión y las causas humanitarias. Regida por Acuario, también rige la excentricidad, la originalidad, las sorpresas, los acontecimientos repentinos, la astronomía, la invención y la ciencia ficción.

- Casa 12 - La Casa final rige los finales, como las últimas etapas de cualquier proyecto, los cabos sueltos, el más allá, las terminaciones, la rendición y la vejez. Regida por Piscis, también rige la separación, los hospitales, las instituciones, las agendas ocultas, las cárceles, los enemigos secretos, la mente subconsciente, la creatividad, el cine, las artes, los diarios y la poesía.

# Capítulo 2: Puntos fuertes y débiles de Géminis

Como cualquier otro ser humano, los Géminis destacan en varios aspectos de la vida, y tienen dificultades en otros. Importantes investigaciones y estudios han puesto de manifiesto ciertos rasgos de personalidad atribuidos a los Géminis. Lo mejor es que los Géminis pueden ahora conocerlos y comprenderlos utilizando esta guía.

### Puntos fuertes

Los Géminis suelen ser seres humanos gregarios y sociables. Son entusiastas de las reuniones sociales y les entusiasma conocer y hablar con gente nueva, pero esto no significa que sean charlatanes molestos. Si tiene un amigo Géminis, fíjese en lo que le interesa. Es probable que les interesen las cosas profundas de la vida o cualquier disciplina especializada, y eso es lo que les encanta discutir con sus compañeros.

Pero esto no implica que los Géminis no puedan hablar de otra cosa. Les encantan las conversaciones y les encanta dar su opinión sobre todo. Esta cualidad les da una ventaja en las pequeñas pero cruciales discusiones cotidianas. Por ejemplo, a los Géminis les resulta relativamente fácil su paso por la escuela y la universidad.

Hacer amigos o relacionarse con la jerarquía de la institución resulta fácil para los jóvenes Géminis.

Si usted es Géminis, probablemente le gusten las fiestas y los desfiles. Si alguna vez organiza una fiesta, asegúrese de tener a los Géminis en su lista de invitados: sacarán lo mejor de cualquier cosa. Sus excelentes habilidades de conversación les permiten entretener a una multitud y hacer que cada persona en la sala se sienta bienvenida. Sus excepcionales habilidades interpersonales se ven acompañadas por una brillante capacidad de coqueteo. Los Géminis florecen en las citas. Si tiene una cita con un Géminis, se dará cuenta de lo mucho que se esfuerzan por hacerle sentir cómodo. Se aseguran de que tenga experiencias divertidas que disfrutan ellos también. Una cita con un Géminis será sin duda un día conmovedor, pero hablaremos de ello más adelante.

Además de ser un brillante conversador, un Géminis utiliza su naturaleza extrovertida para ser amable con los demás. En lugar de ser arrogantes cuando conversan, los Géminis son gentiles y amables con quienes interactúan. Por muy entusiastas que sean, se preocupan por los puntos de vista de los que están al otro lado de la mesa. Pueden hacerse oír a la vez que escuchan a los demás. Este rasgo hace que los Géminis sean perfectos pacificadores o moderadores.

Les gusta mediar en las conversaciones y hacen lo posible por complacer a todas las personas que se sientan con ellos. ¿Necesita que alguien rompa el hielo entre usted y su enamorado? Pídale a su amigo Géminis que sea su alcahuete. ¿Es demasiado tímido para entablar una conversación con un grupo al otro lado de la pista? Pídale a su amigo Géminis que le acompañe ese día. ¿Quiere aclarar un malentendido entre usted y un ser querido? Un Géminis debería ser capaz de arreglar las cosas entre los dos. Con un Géminis, es muy poco probable que se sienta excluido de una conversación.

Además de ser locuaces, los Géminis suelen ser personas excepcionalmente enérgicas y alegres. No solo saben hablar con entusiasmo, sino que también expresan físicamente su entusiasmo por las cosas que les importan profundamente. Su lenguaje corporal les delata y describe las ideas que tienen en mente. Esto hace que los Géminis sean personas muy joviales. Pueden hacer imitaciones de alguien o contar una historia actuando algunas partes de la misma para que parezca hilarante. Nadie aprovecha más el día que un Géminis. Detestan el aburrimiento y tienden a mantenerse ocupados y activos, ya sea realizando un trabajo productivo o matando el tiempo con los amigos cercanos. Su enorme depósito de energía les ayuda a ser activos y sociales. Tardan mucho en cansarse y se retiran a la cama. Mire a su alrededor en su círculo social y compruebe qué personas son las más animadas de todas. Vea cuántos Géminis encuentra.

Otro rasgo positivo que poseen los Géminis es la capacidad de mantenerse optimistas. Los Géminis tienden a encontrar la felicidad en los más pequeños acontecimientos que tienen lugar durante el día. Esperan lo mejor y no pierden el tiempo preocupándose por lo que les depara el destino. Los Géminis siempre viven el momento. Es probable que sean felices todo el tiempo, a menos que surja algo grave. Hacen todo lo posible para mantenerse a sí mismos, y a todos los que les rodean, llenos de alegría y optimismo todo el tiempo.

Si tiene un amigo Géminis, habrá notado que son muy alegres y extrañamente optimistas sobre las cosas de la vida. No se rinden ante pequeños acontecimientos desafortunados, como un mal examen o un pequeño accidente de coche, y no dejan que les arruine el día. Los Géminis viven su vida al máximo. Se levantan cada día como un aventurero y se van a dormir con la esperanza de disfrutar también del día siguiente. Su actitud optimista también los convierte en excelentes simpatizantes. Un Géminis puede levantar el ánimo de quienes se sienten deprimidos y ayudarles a recuperar la confianza; siempre inspiran a otras personas a ser felices y positivas. Si últimamente has sufrido mucho estrés, pida ayuda a su amigo Géminis. Le ayudará amablemente si puede.

Uno de los puntos más fuertes de los que puede beneficiarse un Géminis es de ajustarse y adaptarse a las situaciones con rapidez. A Géminis siempre le apetece emprender nuevas aventuras. Se sienten cómodos emprendiendo cosas nuevas cada dos por tres. Son capaces de cambiar su actitud y ajustarla a la situación que se presente. Si usted es Géminis, pida a sus seres queridos que valoren su capacidad de improvisación. Es muy probable que le den un nueve sobre diez. Observe cómo responden sus amigos Géminis a los cambios repentinos de las actividades que les rodean. Es como si tuvieran la velocidad de un superordenador para reaccionar ante los escenarios, y no es una exageración. Incluso en las transiciones que cambian la vida, aunque sean graduales, lo procesan rápidamente en su cabeza y se adaptan a la corriente. ¿Se ha mudado recientemente a una nueva casa o ciudad con un hermano o padre Géminis? Observe cómo se adaptan a su nuevo hogar en una semana. Si su hijo o hija Géminis acaba de ingresar en la universidad, no debe preocuparse. Mientras se mantengan en contacto, estará de maravilla.

Lo mismo ocurre con los planes y reuniones espontáneas. La mayoría de los Géminis son exploradores y quieren probarlo todo al menos una vez. La palabra «no» no parece estar en su diccionario. Les gusta planificar aventuras y viajes espontáneos y se apuntan con poca antelación. Se toman el tiempo para las ocasiones alegres, y eso es lo que les hace tan buenos amigos, colegas y miembros del equipo. ¿Trabaja hasta tarde en la oficina con un Géminis? Pídale que le acompañe a dar una vuelta a la manzana. Lo más probable es que le responda con una idea más loca para pasar los próximos minutos. Recuerde cualquier plan repentino del que haya formado parte. ¿Fue un amigo Géminis quien tuvo la idea en primer lugar?

El hecho de que Géminis sea capaz de contribuir a cualquier discusión muestra su inteligencia. Cualquier persona que pueda hablar con usted durante horas sobre una serie de temas diversos, y sea amable y considerada a la vez, necesariamente posee un intelecto notable. Por lo general, estas personas son Géminis. Además de ser compañeros, se sabe y se observa que tienen una mente inquisitiva. Les gusta aprender más sobre casi todo.

Como se mencionó anteriormente, los Géminis desprecian aburrirse. Por este motivo, reciben con los brazos abiertos nuevas ideas y conocimientos intrigantes. Es fácil encontrar a los Géminis absortos en los libros o sentados en seminarios que otros suelen evitar. ¿Acaba de leer un nuevo libro y no tiene a nadie para comentarlo? Mencióneselo a un Géminis y le responderá con sus ideas críticas. Los alumnos Géminis tienden a hacer preguntas fascinantes. Por este motivo, es probable que los maestros y profesores sientan predilección por los alumnos Géminis. Por el lado negativo, pueden ser juzgados como sabelotodo por sus compañeros, pero puede ocurrir lo mismo con los exámenes académicos.

Un Géminis prefiere la comprensión intelectual a los ideales. Si usted es Géminis, puede que le cueste aceptar algo hasta que no haya visto las pruebas. Tiende a no preocuparse por las noticias ruidosas de la televisión. En cambio, busca fuentes creíbles para investigar y trata de comprender cada aspecto antes de aceptarlo. Incluso cuando se entera de algo nuevo, anhela que le actualicen y le den más información sobre el asunto. Esta intuición le fortalece contra los rumores y las afirmaciones falsas. Lo bueno de ser Géminis es que es muy poco probable que se equivoque, o al menos que esté mal informado.

Ser inteligente con un encantador sentido del humor es otra de las muchas ventajas de ser Géminis. Cuando están con amigos, les gusta mucho participar de las bromas. Al pertenecer a un signo de «aire», suelen ser personas empáticas con una mecha larga. En lugar de mostrarse sensible al respecto, un Géminis puede responder con un comentario sarcástico. Por mucho que se les golpee, evitan estallar o indignarse de inmediato. Llevan la cuenta de lo que ocurre, pero no con rencor.

Aunque la historia tiene muchos grandes pensadores de Géminis, como Blaise Pascal, la inteligencia no se refiere necesariamente a los grandes pensadores. Géminis es rápido para buscar soluciones a los problemas cotidianos. Se desenvuelve estupendamente en situaciones que requieren respuestas inmediatas. No necesita conocer las leyes de la materia y el movimiento para escapar del tráfico agitado. Del mismo modo, sabe reaccionar en momentos urgentes en los deportes como el fútbol, el squash, el bádminton, etc. Fíjese en lo bien que se les dan las adivinanzas a sus amigos Géminis. Ser Géminis le permite superar sin problemas los retos diarios ante los que otras personas podrían rendirse.

La inteligencia combinada con la capacidad de hablar y la actitud de improvisación es una carta letal de los Géminis. Pueden pensar rápidamente y reaccionar bien ante las situaciones. Se les puede llamar «pensadores rápidos», ya que son capaces de tomar decisiones informadas y racionales en poco tiempo. Si usted es Géminis, será el más buscado a la hora de formar un equipo, ya que tiene las habilidades sociales e intelectuales para ser un miembro crucial del equipo. También es muy probable que el equipo gire en torno a un Géminis.

### Puntos débiles

Aunque los Géminis prosperan en varios aspectos de la vida, tienen algunos defectos. Como podrá notar, la mayoría de estos defectos son la otra cara de los beneficios de ser Géminis. No todos los Géminis deben tener cada uno de estos defectos. Depende de cómo vivan su vida y afronten sus debilidades. Este libro también destacará consejos que algunos Géminis utilizan para superar estas limitaciones. Pueden o no funcionar para usted.

Aunque puede parecer que los Géminis conversan con un grupo de personas de forma tranquila, su costumbre de complacer a todo el mundo podría hacerles parecer de dos caras. En un momento dado, pueden estar a favor de cualquier asunto, mientras que en otro momento pueden estar completamente en desacuerdo con la misma propuesta. Al abrazar un conjunto de opiniones diferentes, los Géminis pueden ser deshonestos consigo mismos. Tienden a mezclar sus creencias cuando aceptan los pensamientos de otras personas. Este proceso confunde a muchos Géminis y les hace entrar en una espiral de dudas sobre sí mismos. Por lo tanto, una debilidad que puede afectar a un Géminis es el desconcierto con respecto a sí mismo. Observe a sus compañeros Géminis. ¿Ha notado que tienen múltiples opiniones o percepciones contradictorias sobre algún tema?

Los dos siguientes problemas que vamos a tratar se derivan de la debilidad mencionada anteriormente. Si bien a los Géminis les cuesta saber qué es lo que realmente defienden, también se ponen nerviosos cuando toman decisiones cruciales que cambian la vida. Al dudar de las propias creencias viene la duda sobre sus acciones. Si usted es Géminis, puede notar que a veces es indeciso. Por ejemplo, hemos hablado de que la mayoría de los Géminis se adaptan fácilmente a un nuevo hogar, pero el proceso de selección de la casa no es del agrado de los Géminis. Tienden a ser críticos con los detalles más pequeños, tanto que construyen cientos y miles de opciones en su cabeza. Seleccionar o elegir es la peor situación para un Géminis.

¿Fue alguna vez a un centro comercial con un Géminis? Hay que darles un conjunto de ropa para elegir y ver cuánto tiempo tardan en escoger su favorita. En su cabeza, pueden estar pensando en muchas cosas; la última tendencia, una revista o un actor que vieron, la sugerencia de un amigo, el precio, el número de veces que podrían usar esa ropa o lo que ya tienen en su armario. Aunque puede tener sentido participar en discusiones de manera informada y calculada, escudriñar cada cosa les cansa. Es mejor que no le pida a un Géminis que elija una película para la noche de cine. Puede que se peleen innecesariamente y acaben viendo lo que decida la mayoría. Por eso les gusta seguir la corriente y participar en los eventos.

Otro rasgo negativo que se atribuye a los Géminis es su afición a las ganancias materiales. Los géminis suelen ser miopes a la hora de identificar la belleza interior de alguien. Se dejan deslumbrar por la finura y la grandeza del mundo. Quieren tener la misma clase y belleza que les impresiona. Aunque es habitual que cualquiera se sienta atraído por el encanto y la inteligencia, Géminis tiende a pasar por alto los aspectos ocultos pero significativos de las cosas, las personas y los lugares. Es comprensible que intenten relacionarse con personas ricas y atractivas y acaben decepcionándose.

Aunque la mayoría de los Géminis hacen muy buenos amigos, un Géminis puede abandonar a sus amigos íntimos por alguien con mucho encanto y belleza. Esto puede ser perjudicial no solo para la madurez de los Géminis, sino también para su vida social. Es probable que pierdan amistades de este tipo y que acaben teniendo menos hombros en los que llorar. Lo peor de todo es que es probable que Géminis repita este error y caiga en una espiral hacia el oscuro abismo. Al igual que encuentran la felicidad en las pequeñas cosas de la vida, Géminis también debería abrazar a las personas por lo que son y no por lo que parecen por fuera, una lección que la mayoría de los Géminis aprenden por las malas. ¿Ha pasado recientemente por la ruptura de una amistad? ¿Era un Géminis? Si es así, ¿cuáles cree que fueron los motivos?

Al pertenecer al elemento aire, los Géminis no suelen conectar sus pensamientos con la realidad. Los Géminis son personas que creen más en las teorías que en la práctica. Pueden parecer idealistas que creen que todo es posible. Se dejan llevar sobre todo por la pura voluntad. Aunque la pura voluntad es buena para las personas que carecen de motivación como los Géminis, les ciega de la practicidad de sus pensamientos y opiniones. Esto también puede verse cuando Géminis exige algo que no necesita. Parece que se enfrentan a una «desconexión entre la introspección y la realidad» a la hora de tomar decisiones (preparingforpeace.org, 2020). Esto puede notarse fácilmente cuando Géminis se enfrenta a la culpa por algo que no ha hecho. Aunque una parte de ellos puede estar desconcertada con respecto al mal que pueden haber hecho, es probable que se disculpen, ya que es lo más noble que pueden hacer. Puede hacer un pequeño experimento con su amigo Géminis para comprobarlo. Intente culpar a su amigo Géminis por haber perdido algo que le ha regalado. ¿Cómo reaccionará? Este rasgo puede pesar mucho en circunstancias en las que hay mucho en juego. Para solucionarlo, recomendamos a los amigos Géminis que desarrollen la asertividad y la conciencia de su entorno inmediato.

Como los Géminis suelen ser ávidos de conocimiento, son propensos a pensar de forma impulsiva. Por ejemplo, si un Géminis escucha una opinión o teoría diferente sobre algo, es probable que cambie sus propias percepciones debido a esa influencia. No queremos decir que los Géminis no piensen por sí mismos. Por el contrario, se desconciertan fácilmente cuando se les muestra un conjunto de opiniones o pensamientos. Si no descubren la verdad a través de su investigación, caen presas del desconcierto. En el peor de los casos, esto podría llevarles a tomar decisiones imprudentes después de creer de todo corazón y cambiar sus pensamientos sobre un tema. Este comportamiento reaccionario e impulsivo también puede obstaculizar la consecución de objetivos a largo plazo. Es posible que un día se sientan motivados para realizar una determinada tarea, pero que al día siguiente la dejen pendiente. Por esta misma razón, a Géminis le cuesta lidiar con los rumores informales y chismosos. Puede que no sea correcto preguntar a la propia persona, y cualquier otra fuente a la que puedan escuchar solo aumentará la lista de historias que han oído. Aunque Géminis es impresionante en las conversaciones de frente, odian este tipo de «susurros». Fíjese en esto entre sus compañeros Géminis. ¿Qué tan indecisos cree que son?

La misma actitud impulsiva puede aplicarse al comportamiento emocional. Si bien Géminis puede tener un temperamento elevado, es probable que estalle frente a cualquiera cuando llegue a su límite. Recuerdan lo que se dijo y se quiso decir, lo amontonan en la memoria y ejecutan una respuesta explosiva cuando la sobrecarga llega a su límite. Los Géminis pueden saludar con una sonrisa brillante como un ángel o gritar con una expresión horrorosa como un demonio. Esto puede llevar a muchos Géminis a atravesar rupturas o pérdida de amistades. Pueden acabar siendo agresivos con un compañero y arruinar su relación con él para siempre. Cualquier Géminis debería trabajar sus emociones si tiende a hacer esto con frecuencia. Como es probable que reaccionen rápidamente, también es probable que un Géminis diga algo incorrecto o hiriente. Regular este comportamiento puede ser extremadamente estresante para los Géminis, especialmente si lo hacen con frecuencia. Mientras que los Géminis deben tratar de controlar su impulsividad, otros compañeros pertenecientes a otros signos deben aprender a darles un poco de espacio siempre que sea posible. ¿Es usted un Géminis que está pasando por circunstancias similares? Intente explicárselo a sus seres queridos y pídales ayuda.

Si usted es Géminis, puede que le resulte difícil mantener la motivación cuando trabaja en un proyecto de un mes de duración. Esto puede deberse a que experimenta un cambio de prioridades o simplemente se aburre. Si su horario escolar consiste en largas y crudas clases sin apenas actividades extraescolares, es posible que no disfrute de la escuela como Géminis. Los Géminis no prosperan en las rutinas, especialmente cuando las actividades son restringidas, aburridas y repetitivas. Apenas tienen una rutina fija tienden a dejarse llevar por lo que la vida les depare. Esto hace que los Géminis sean ciegos al panorama general de la vida, las relaciones, las amistades y las carreras. La exigencia de mantenerse siempre entretenido y comprometido es la mayor debilidad de un Géminis. Como les gusta profundizar en múltiples temas de su interés, pueden acumular muchas cosas sobre sus hombros, más de las que pueden llevar. Si usted es Géminis, le conviene llevar la cuenta de todos los compromisos que adquiere y de cuándo se espera su entrega. Perder la noción del tiempo es fácil para cualquiera, especialmente para un Géminis. Pueden sacrificar horas en la procrastinación, solo para satisfacer su hambre de diversión. Un buen amigo debería intentar vigilar a sus amigos Géminis y ayudarles a ver el panorama general.

Géminis es curioso y ansía saber todo lo que se le ocurre. Aunque ser un buscador de conocimientos puede ser una cualidad encantadora, muchos Géminis lo llevan demasiado lejos al interesarse profundamente por la vida de los demás. Es posible que quieran estar continuamente al tanto de los acontecimientos y cambios en la vida de todos. Este comportamiento puede molestar, con razón, a cualquier persona con la que conversen. Pueden empeorar la salud mental de una persona si hacen una mala pregunta y, sin saberlo, atacan sus inseguridades.

¿Tiene una pequeña cicatriz en la mejilla? Un Géminis seguro que le preguntará por ella y por la historia que hay detrás. ¿Acaba de llegar del dentista? Su hermano Géminis querrá saber todo lo que pasó. ¿Ha tenido una cita recientemente? Su vecino Géminis le preguntará todos los detalles. Si tiene un amigo Géminis, fíjese en lo mucho que le anima a compartir sus secretos. Aunque esto puede ayudarles a construir amistades, la mayoría de la gente puede encontrar a los Géminis entrometidos debido a este rasgo. Los Géminis, al ser tan conversadores, pueden parecer entrometidos cuando interactúan con gente nueva. No todos los que conocen querrán responder a preguntas como dónde viven, cuántos novios han tenido o cómo fue su infancia. Si usted es un Géminis, empiece a observar con precaución cuando haga preguntas y hable. ¿A qué se refiere su pregunta? Ha pensado en la forma en que su pregunta puede herir a la persona.

Aunque Géminis puede ser amable y empático, suele ser poco fiable. Su indecisión les pasa factura y tienden a volverse irresponsables con la tarea que tienen entre manos. Por ello, Géminis es menos solicitado cuando se busca consejo. Por mucho que se comprometan religiosamente al principio, muchos Géminis no consiguen hacer el trabajo. Acumulan demasiado trabajo, sin saber cuándo parar. Al final, dejan la mayor parte incompleta y no cumplen los plazos. Lo normal es que se apoyen en alguien especializado en la materia, comprometido con el trabajo, seguro de sí mismo y con conciencia de sí mismo. El hecho de que muchos Géminis encuentren problemas al evaluarse a sí mismos hace que sea difícil confiar en ellos. Un Géminis puede aburrirse al preparar una larga y tediosa hoja de Excel. Lo siguiente que se sabe es que han pasado el resto del día en Netflix o de compras. Si envía una invitación a un Géminis de un evento con mucha antelación, probablemente lo cancelará al acercarse el día. No es que los Géminis sean groseros o arrogantes. Es la pura irresponsabilidad que se deriva de sus características heredadas y que les lleva por el mal camino. Si usted es un Géminis que está pasando por la misma situación, le recomendamos que haga listas de tareas y limite los compromisos. Aunque a los Géminis les cueste ayudar a los demás en el trabajo, no dejarán que nadie se quede sin una noche de diversión.

Como ya hemos comentado, a los Géminis se les juzga por tener muchas personalidades. La gente puede juzgarlos como personas de dos caras o complacientes. Incluso en astrología, Géminis representa la «dualidad». En realidad, no es culpa de Géminis. Puede que solo intenten complacer y ser amables con la gente. El problema radica en cuando se exceden y accidentalmente incomodan a los demás. A juzgar por lo indecisos que pueden ser los Géminis, podrían ser visualizados como personas con personalidades inestables.

Hablamos de cómo los Géminis luchan por encontrar lo que realmente creen. Es posible que se preocupen por opiniones contradictorias, reacciones injustas o diferencias de trato hacia distintas personas. Por ejemplo, un Géminis puede criticar profusamente al gobierno local por su mala gestión, pero cuando habla con alguien que está a favor del gobierno, pueden discutir otras razones del incidente y justificar los esfuerzos del gobierno como suficientes. Este comportamiento de doble cara se suma a la falta de fiabilidad de los Géminis. Los Géminis pueden sufrir mucho por este defecto, ya que es probable que pierdan amigos, conocidos y clientes.

En general, los Géminis tienen personalidades sorprendentes y encantadoras. Sus puntos fuertes les permiten relacionarse rápidamente con la gente. Pero tienden a tener problemas en su vida social cuando se exceden en su locuacidad y hacen que los demás se sientan incómodos sin querer. Otros rasgos negativos no son más que el reverso de sus puntos fuertes. Géminis debe esforzarse por encontrar un equilibrio entre ambos sin renunciar al tipo de persona que es en esencia.

# Capítulo 3: El niño Géminis

Los niños son la alegría de la vida de las personas; les recuerdan lo sencilla que era la vida en otros tiempos, pero los niños son comúnmente malinterpretados, lo que permite a los adultos que los rodean tomar decisiones poco informadas sobre su crecimiento y sus necesidades. Si tiene hijos Géminis y quiere entender algunas de sus acciones, ¡ha llegado al lugar adecuado! En este capítulo se tratarán todos los rasgos y características comunes de los niños Géminis que los adultos pueden considerar peculiares. La última sección de este capítulo pretende centrarse en las diferencias entre los niños y niñas Géminis. Esta es una sección importante, ya que hay algunas diferencias críticas que no mucha gente conoce. Puede ayudarle a entender al niño o niña Géminis de su vida.

Este capítulo también puede ser una lectura interesante para los jóvenes y adultos Géminis que buscan rememorar su infancia, ya que les traerá todos los recuerdos que creían haber olvidado. Todas las explicaciones que aparecen a continuación surgen de los componentes universales de la astrología zodiacal que se comentaron en la introducción de esta guía (los elementos comunes fueron los planetas regentes, las casas, las cartas natales, las piedras preciosas y mucho más).

## Rasgos comunes de los niños Géminis

La primera acción significativa en la vida de un niño es hablar. Mercurio rige a los Géminis, por lo que esencialmente se convierten en comunicadores eficientes más adelante en la vida, pero esta capacidad de articulación comienza temprano. Los niños Géminis empiezan a hablar (o a murmurar palabras/balbuceos) un poco antes que otros niños pequeños. No se asuste por esta acción temprana, ya que los niños Géminis tienen esa «naturaleza expresiva» de la que hablamos al principio de esta guía. Si usted es Géminis, probablemente debería preguntar a sus padres sobre el momento en que empezó a hablar. Probablemente le dirán que fue antes que sus hermanos. Se recomienda a los padres que fomenten este comportamiento realizando actividades (o utilizando diferentes medios de comunicación, como la música) que estén diseñadas para hacer aflorar esta naturaleza expresiva. Si se cultiva correctamente, los niños pueden llegar a heredar su capacidad de articulación.

Esto no significa que, si su hijo se encuentra en el lado más silencioso del espectro de la expresión, deba haber algo malo en él. Una cantidad sorprendente de niños Géminis están en el lado más silencioso, pero son ingeniosos y encantadores cuando lo necesitan. Esta rapidez de palabra también significa que tienen la capacidad de articular eficazmente, ya que están constantemente en un diálogo consigo mismos. Aunque no sean tan habladores, hay que seguir la misma rutina que se ha explicado en el párrafo anterior. Como padres, tienen que rodear a su hijo Géminis con libros, música, rompecabezas y otros medios similares que le permitan seguir manteniendo su diálogo interior.

En los dos casos explicados anteriormente, el niño Géminis siempre está expresando su curiosidad de diferentes formas. Esto significa que, además de ser encantador y rápido, el niño Géminis es muy curioso. Esta característica evolucionará con el tiempo y desempeñará un papel importante para los rasgos de los perfiles de la vida adulta tratados en los capítulos siguientes. Recuérdelo cuando lea esos capítulos.

Otro rasgo común que tienen los niños Géminis es su interés siempre cambiante por las cosas. El concepto de dualidad que es evidente en muchos Géminis del mundo tiene sus raíces en esta etapa de sus vidas. En esta etapa temprana, los Géminis están muy interesados en examinar, realizar y llevar a cabo nuevas actividades/cosas. A menudo se observa que también cambian de una actividad a otra muy rápidamente. Esto significa que los niños Géminis suelen estar interesados en una combinación de diferentes experiencias en lugar de centrarse en extraer la máxima utilidad de una sola experiencia. Esto también hace que se aburran mucho más rápido que otros niños, ya que quieren actividades nuevas con mucha frecuencia.

Los padres de Géminis tienen mucho trabajo, ya que siempre tienen que encontrar cosas nuevas para sus hijos. Como Géminis, puede entender esto, ya que probablemente usted también hizo lo mismo de niño. Esto hace que los Géminis adultos también se aburran fácilmente. Con mucho tiempo libre, los Géminis estarán siempre a la búsqueda de tareas aleatorias y proyectos interesantes en los que invertir su tiempo. Este rasgo también se desprende de la característica de la curiosidad de la que hemos hablado antes.

Estos serán los primeros signos de la personalidad de doble naturaleza que su hijo Géminis heredará pronto, pero se puede extraer algo positivo de este rasgo. Los Géminis que cambian de opinión a menudo también son conocidos por ser adaptables y grandes solucionadores de problemas, ya que están acostumbrados a enfrentarse a diferentes situaciones.

Esta doble naturaleza también tiene su lado negativo. Los niños Géminis están tan centrados en diversificar su experiencia que es difícil hacer que se centren en una actividad concreta. Esto puede dificultar su capacidad de concentración y, a la vez, afectar sus habilidades. Recomendamos a los padres que les permitan explorar distintas experiencias y, a medida que crezcan, su mente se desarrollará de forma natural. Este desarrollo natural les permitirá vivir una vida satisfactoria, ya que no se verán presionados para aprender un solo oficio, sino que tendrán una combinación de diferentes experiencias para potenciar sus capacidades.

Los niños Géminis también empiezan a gatear a una edad muy temprana debido a su naturaleza curiosa. Para alimentar su curiosidad y su naturaleza expresiva, suelen meterse en lugares a los que otros bebés no llegan. Los padres de Géminis deberían poner toda la casa a prueba de bebés, ya que cuando su hijo se convierta en un explorador, no dejará ningún espacio sin tocar. También se aconseja a los padres que vigilen de cerca a sus hijos Géminis por su seguridad. Deben tener mucho cuidado con un niño Géminis, ya que su naturaleza curiosa puede hacer que se meta en lugares peligrosos de la casa. Este rasgo otorga al bebé más libertad para moverse, pero también significa que a veces no le gustará estar encerrado en espacios pequeños. El niño Géminis encontrará en esta experiencia restrictiva un obstáculo para satisfacer su hambre «mental». Así que, en muchos sentidos, los padres de niños Géminis deberían sentirse aliviados de no tener que esforzarse mucho en la crianza, ya que dejar que el niño Géminis se desarrolle de forma natural es el mejor camino a seguir.

Todos los rasgos anteriores pueden observarse con frecuencia en el hogar, pero pueden traducirse en rasgos diferentes cuando el niño Géminis está en la escuela. La escuela es uno de los primeros lugares fuera del hogar que el niño conoce, por lo que es bastante obvio que allí muestre rasgos diferentes. Los siguientes rasgos se observan a menudo entre los niños Géminis cuando están en la escuela.

El primer rasgo común es la naturaleza imprevisible de los niños Géminis. Debido a la naturaleza dual e impredecible de estos niños, pueden hacer algo que signifique problemas para ellos o para alguien más en la escuela, pero también puede significar muchas cosas positivas debido a esta naturaleza impredecible. Debido a esta naturaleza curiosa e impredecible, es difícil para un niño Géminis seguir un horario estricto. Esto significa que el niño podrá mostrar muchos rasgos de comportamiento negativos. Dado que ir a la escuela es una actividad con un horario estricto, el niño puede hacer rabietas en las clases o durante otras actividades si pierde el interés y sigue su alma libre. Seguir una rutina de sueño estricta también es importante para ir a la escuela. Por desgracia, también es difícil pedirle esto a un niño Géminis debido al mismo rasgo. Todo esto combinado puede crear un individuo desinteresado que puede volverse rebelde cuando entre en la adolescencia.

Todo esto no debe preocupar a los padres debido a los siguientes rasgos que son bastante positivos en un niño Géminis que va a la escuela. Un niño Géminis es un muy buen socializador pues tiene una energía contagiosa e interminable que puede atraer a todo tipo de personas. Pueden prosperar en situaciones y actividades sociales en la escuela. Esto permite que los niños sean muy queridos por sus compañeros y por el personal de la escuela. Seguramente cosecharán los beneficios de construir una fuerte relación con la comunidad. Esto se debe a que la casa regente de Géminis está profundamente asociada a las relaciones positivas con la comunidad y con los hermanos de Géminis. Si estas relaciones duran mucho tiempo, pueden tener un impacto positivo o negativo en la vida del Géminis durante su edad adulta.

La naturaleza dual de Géminis puede dificultar la elección para los niños. Esto puede convertirse en un obstáculo en situaciones como una actividad verbal en clase o la decisión del almuerzo en la cafetería, pero esto puede superarse fácilmente con un poco de orientación. El niño Géminis es muy receptivo, por lo que los adultos conocerán inmediatamente sus deseos y necesidades. Pueden utilizar esta información para ofrecerles orientación.

Estos rasgos resumen la vida que seguirá su hijo Géminis tanto dentro de su casa como en su escuela. Es útil conocer estos rasgos porque en la siguiente parte de esta sección se explicará cómo puede utilizar esta información. Los siguientes párrafos de esta sección cubrirán las necesidades básicas de un niño Géminis. Como padres, pueden ofrecer un entorno que fomente su crecimiento satisfaciendo sus necesidades según su signo del zodiaco. Los adolescentes y adultos de Géminis también pueden leer los siguientes párrafos para aprender algunos trucos sobre cómo sortear sus rasgos negativos.

Lo más importante que se desprende de todos los rasgos anteriores es que el niño Géminis reacciona positivamente a la interacción alegre y a la estimulación mental. Siempre necesitan hablar con alguien o estar ocupados en algo que desafíe sus capacidades mentales. Si los padres hablan continuamente a sus hijos y les hacen sonidos (interacción positiva), el niño responderá con sonidos positivos y palabras entrecortadas. Como padres, hay que invertir en buena literatura y actividades divertidas (como rompecabezas y juegos de mesa). Con suerte, estos juegos mantendrán al niño interesado durante un tiempo, antes de tener que pensar en algo nuevo y divertido. Este ciclo de inversión en cosas interesantes debe continuar hasta que el niño encuentre automáticamente algo que capte su atención durante más tiempo que unas pocas semanas/días.

Los padres también tienen que cuidar a sus hijos en el sentido de que siempre tienen que estar atentos al movimiento de su curiosidad, ya que pueden toparse con algo peligroso. Es bueno poner la casa a prueba de bebés porque los bebés Géminis necesitan esta protección más que otros.

Sobre todo, un niño Géminis necesita un padre paciente que le guíe en sus decisiones más difíciles. Tomar decisiones puede ser un reto recurrente en su vida, y si tienen una influencia estable que les guíe, entonces pueden crecer y convertirse en personas muy completas que cuentan con una serie de experiencias para potenciar sus capacidades.

## Diferencias entre niños y niñas Géminis

Hay algunas diferencias de personalidad que dependen del sexo del niño. Los astrólogos afirman que los padres, así como los Géminis, necesitan comprender dichas diferencias para desenvolverse mejor en sus vidas. Esta sección dará una breve visión general de esas diferencias para que pueda tomar decisiones bien informadas en el futuro.

La principal diferencia entre los dos géneros es su forma de comunicación. Ahora bien, es posible que esta información no sea aplicable a todos los Géminis del mundo, pero con frecuencia puede ser útil. El niño varón tiene una forma diferente de comunicarse que la niña, aunque ambos son bastante expresivos. La niña puede expresar su curiosidad haciendo muchas preguntas. Cuando decimos muchas, puede ser un eufemismo. Estas preguntas irán desde las más sencillas hasta las más complejas, que requerirán que las investigue en Internet, pero el niño siempre busca poner en práctica su rápido ingenio y siempre está dispuesto a gastar alguna que otra broma.

Ambos conservan los rasgos básicos de los que hablamos antes en el capítulo, pero la forma de utilizarlos es un poco diferente. Otro rasgo que se utiliza de forma diferente es el aspecto de la dualidad. Las chicas tienden a cambiar sus intereses mucho más que los chicos. Pueden parecer interesadas en algo un día y hacer lo contrario al otro. Los chicos son imprevisibles, pero tienden a mantener sus intereses más que las chicas.

Otro rasgo raro que a veces no se encuentra en las chicas Géminis es la capacidad de realizar varias tareas a la vez de forma eficiente. Los chicos Géminis tienden a realizar varias tareas a la vez en la adolescencia y a desarrollar esa capacidad para poder utilizarla en su vida adulta. Las mujeres tienen una tendencia natural a la multitarea, pero es menos frecuente en las chicas Géminis que en los chicos Géminis.

Hay más diferencias, pero pueden surgir de forma más individual que colectiva. Por ello, no se han incluido en esta sección. Las diferencias que se han seleccionado representan al común de un chico y una chica Géminis. Los padres pueden utilizar esta información y relacionarla con las necesidades de sus hijos para tomar mejores decisiones sobre su bienestar.

# Capítulo 4: Géminis en el amor

Confiar en una persona y ofrecerle todo su ser puede ser una tarea desalentadora. Por eso, enamorarse de alguien puede resultar difícil para ciertas personas, ya que les cuesta abrirse. Más difícil aún es encontrar la pareja perfecta para casarse. Encontrar a alguien que sea perfectamente compatible con su personalidad y que le complemente a la perfección es muy difícil. Rara vez se encuentra la persona adecuada que no se separe de uno hasta el final de los tiempos.

Los rasgos de cada personalidad son únicos, y encontrar a esa persona, alguien con características complementarias, puede ser una tarea difícil. Incluso si uno encuentra a la persona perfecta, puede tener que enfrentarse a varios obstáculos en la relación. Ya sean novios o esposos, todos enfrentan retos en sus relaciones. Muchos consiguen superar estos retos, mientras que otras relaciones se hacen añicos debido a la presión de estos obstáculos. La clave del éxito de un matrimonio duradero y de una pareja feliz es la expectativa de estos obstáculos. Si las personas esperan estos desafíos, estarán mejor preparadas y tendrán la mentalidad ideal para sobrevivir a los problemas y salvar su relación. Puede que piense que encontrar el amor y esquivar estos retos puede ser una cuestión de suerte. Se equivoca. ¿Y si le dijeran que encontrar el amor y mantenerlo durante mucho tiempo puede ser fácil si comprende su horóscopo y su carta natal? No, no es broma. Su signo zodiacal describe el tipo de personalidad que ha heredado, y si uno es consciente de estos rasgos, puede encontrar a su pareja perfecta con una facilidad incomparable.

Por lo tanto, si está enamorado de un Géminis en su vecindario, universidad o trabajo y quiere descubrir la manera correcta de conquistarlo, entonces ha encontrado el libro adecuado. Del mismo modo, si tiene una relación feliz con un Géminis y quiere conocer los obstáculos con los que debe tener cuidado, este libro también es perfecto para usted. En este capítulo, exploraremos la compatibilidad de un Géminis con otros signos del zodíaco. Aprenderemos cómo las personalidades pueden chocar o contrastar y cómo pueden iniciar su viaje exploratorio para encontrar su primer amor. Nos centraremos principalmente en los atributos de Géminis y en los consejos que le ayudarán a salir con un Géminis. También comprenderá mejor a un Géminis mirando varios temas desde su perspectiva. Le servirá para entender sus reacciones habituales ante al amor y proporcionará una guía para que puedan sobrellevar una relación sana.

Cuando uno es adolescente, tiene muchas emociones y hereda las expectativas de las personas que le rodean. En lo que respecta al amor, a un adolescente le resulta difícil sortear su relación, o encontrar el punto de partida. Las expectativas, los miedos o la excitación suelen enturbiar sus pensamientos. Como se ha explicado anteriormente, los Géminis tienen personalidades duales, y la búsqueda del amor puede ser difícil para un adolescente Géminis. Pueden confundirse por sus personalidades duales que pueden guiarlos en direcciones opuestas. Esta sección ayudará a Géminis, especialmente a un adolescente, a entender el amor y a ser consciente de las expectativas que debe tener.

En primer lugar, hagamos hincapié en el rasgo de personalidad dual de Géminis y en cómo afecta su vida amorosa. Imagine que está en una noche de fiesta, bailando despreocupadamente y pasando el mejor momento de su vida. Tiene a sus amigos alrededor y está lo más cómodo posible. Un desconocido se acerca a usted y empiezan a hablar. Como Géminis, le gustan las conversaciones y es muy fácil hablar con usted. Cuando vuelve a casa, piensa en tener una cita con esa persona. Un Géminis puede sentir que es demasiado joven para ello, o incluso si sale en una cita, puede que no vaya más lejos. La idea del amor puede asustar a algunos jóvenes Géminis, ya que piensan que les va a coartar su libertad, pero un Géminis tiene que darse cuenta de su doble personalidad y de que, dentro de una década, podría sentir que es demasiado viejo para el amor. De todos modos, un Géminis nunca pensará que es el momento adecuado para explorar sus opciones amorosas. Serán demasiado jóvenes, demasiado viejos, demasiado ocupados o demasiado libres para involucrarse en una relación. Un Géminis, especialmente un adolescente, necesita darse cuenta de que no hay un tiempo para el amor, es eterno.

No hay una franja de edad para encontrar el verdadero amor. Temer que el amor restrinja su libertad no es el proceso de pensamiento correcto para un Géminis. A pesar de ser grandes amantes, los Géminis se alejan del compromiso, aunque sea lo que desean. Les encantan las aventuras y explorar diferentes intereses. No hay organización en su vida, ya que buscan emociones espontáneas. Por lo tanto, es importante que los Géminis tengan esto en cuenta porque el miedo a perder tiempo y libertad puede hacer que se pierdan de la persona adecuada. Solo tienen que dar el salto cuando encuentren a alguien a quien quieran incondicionalmente y que respete sus intereses y su personalidad. El tipo de personas que encajarán bien con usted y serán compatibles con su compleja personalidad se explora en la siguiente sección.

En segundo lugar, como ya hemos mencionado brevemente, la mayoría de las personas están enterradas entre las expectativas cuando se trata del tema del amor. Tener expectativas es parte de la naturaleza humana y algo que todo el mundo hace, pero los Géminis son algunas, si no las únicas, personas que dudan de las expectativas que tienen. Al ser tan enérgicos y sociales, creen que es difícil encontrar a alguien que pueda coincidir con su afán de aventura y de viaje. También dudan de que alguien pueda igualar su capacidad intelectual, su deseo de mantener conversaciones divertidas y entretenidas, y conversaciones intelectuales e ingeniosas otras veces.

Los jóvenes Géminis necesitan tener la seguridad de que hay alguien que puede y quiere igualar su amor por las aventuras y satisfacer las necesidades de su doble personalidad, pero las expectativas pueden limitar su experiencia; en este caso, nunca deben conformarse con menos. Los Géminis necesitan estar constantemente en busca de la persona adecuada y perseverar hasta que ocurra. Tenga en cuenta que esto no significa que busque a alguien que sea perfecto o un clon perfecto de la persona perfecta que ha imaginado. En cambio, busque a quien simplemente satisfaga sus necesidades emocionales, espirituales, intelectuales y físicas. Tener esto en cuenta le permitirá tomar las decisiones correctas de las que no se arrepentirá en el futuro.

Ahora que hemos destacado las dos cosas más significativas que a menudo pueden estropear la experiencia de encontrar el amor para un Géminis. Abordemos este tema desde la perspectiva de una persona ajena que intenta impresionar a un Géminis.

En primer lugar, trate de hablar de algo que ellos no conozcan. Los Géminis son personas muy curiosas y ansían aprender. Hablar de sus sueños, aficiones y pasiones, especialmente de algo que no conozcan, les entusiasmará y hará que se interesen más en usted. Su singularidad atraerá la atención de los Géminis y hará que vuelvan por más, ya que existe la posibilidad de que haya más cosas que puedan aprender de usted. Además, es esencial que sea original. No le repita ni copie el mismo truco de siempre. Los Géminis tienden a aburrirse fácilmente, así que trate cada oportunidad que tenga como si fuera la última.

En segundo lugar, a los Géminis les gusta luchar. Intente actuar de forma desinteresada con los Géminis, y ellos trabajarán para ganarse su atención. Esto podría molestarlos inicialmente, pero puede permitirle fortalecer su vínculo a largo plazo. También hará que le aprecien más en la relación. Juegue con este movimiento de forma inteligente, porque exagerar puede repelerlos.

Por último, intente que un Géminis se sienta cómodo en su propia piel. Los Géminis son mutables, lo que significa que pueden cambiar con el tiempo o cambiar con la corriente de la situación. Esto ya se ha mencionado antes y también es evidente en sus símbolos, que significan «gemelos». En lugar de restringirles la exhibición de sus diversas personalidades, permítales reposicionarse a su conveniencia. Esto hará que se sientan cómodos con usted, ya que pueden poner en escena su verdadero yo. Además, si puede ser espontáneo con los planes y los viajes, esto hará felices a los Géminis y puede causarles una buena impresión.

Estas son algunas de las cosas significativas que los Géminis deben tener en cuenta cuando exploran el amor y los no Géminis cuando intentan conquistarlos.

Ahora que hemos mencionado las cosas que harán de su viaje para encontrar el amor un poco más tranquilo, hablemos de las cosas desde la otra perspectiva. Hablaremos cómo reaccionar desde la perspectiva de alguien que está en una relación con un Géminis. La siguiente sección los equipará con ideas sobre cómo responder en la relación. En la siguiente sección, descubriremos la compatibilidad de Géminis con el resto de los signos del zodiaco. Exploraremos la relación de manera que pueda servir tanto a Géminis como a otros signos del zodiaco. Tenga en cuenta que estos son los rasgos que corresponden solamente al sol, pero con esfuerzo consciente de ambas partes se puede mejorar cualquier diferencia.

### Guía rápida para salir con un Géminis

La parte anterior de este capítulo ha explorado diferentes técnicas para entablar una relación con un Géminis, pero las cosas toman un giro diferente cuando se encuentra con uno. Es posible que se encuentre con situaciones en las que no ha estado antes y que se vea expuesto a aspectos de la personalidad de su pareja que nunca antes habías visto. En estos escenarios, hay que saber reaccionar y atender las necesidades de la pareja. Para que una relación sea duradera, es vital que entienda a su pareja y actúe de forma adecuada ante sus necesidades.

En esta sección se enumeran algunos consejos que pueden ser útiles para alguien que tenga una relación con un Géminis.

### Escuche a su pareja

A los Géminis les encanta hablar sin parar. Es una parte importante de su personalidad, y tienen curiosidad por saber más sobre las cosas. No se agobie pensando en un tema de conversación; en cambio, deje que Géminis tome la iniciativa, porque tendrá varios temas en mente para charlar. Solo tenga cuidado de no interrumpir a Géminis durante la conversación, porque podría pensar que usted no está interesado.

### Sea paciente con su pareja

Cuando entre en una relación con un Géminis, debe saber que sus estados de ánimo y su comportamiento pueden cambiar regularmente. Pueden ser divertidos y alegres en un momento y enfadarse y ponerse de mal humor al siguiente. En estas situaciones, no debe permitir que su comportamiento le afecte. No se lo tome como algo personal y trate de hablar con ellos, para preguntar qué es lo que les molesta.

### No fuerce a los Géminis a tomar una decisión

La naturaleza de la dualidad se presenta una vez más aquí. Debido a este rasgo de la personalidad, un Géminis podría estar atascado en la confusión sobre dos opciones disponibles. Una parte podría querer la primera opción, mientras que la otra parte de su personalidad podría inclinarse por la segunda. La confusión entre comer comida india o tailandesa en una cita nocturna puede ser una de estas situaciones. Si le encuentra en una situación similar, no fuerce su elección. Géminis odia esto. En cambio, puede abordar estos problemas haciendo una sugerencia. Tenga en cuenta que, si enmarca su preferencia de manera que se vea como una preferencia y no como una decisión, le permitirá evitar cualquier pelea. Así, en lugar de obligarles a comer comida india, puede reformularlo y decir: «Anoche comimos comida tailandesa, y he oído que hay un nuevo restaurante indio al final de la calle. Te gustaría probar algo nuevo hoy».

### Nunca rompa la confianza de un Géminis

Los Géminis son muy cariñosos y disfrutan de la compañía de las personas. Por eso, tiene mucho sentido que depositen gran parte de su confianza en sus amigos y parejas. Después de romper su confianza, los Géminis podrían perdonarle y aceptarle de nuevo en su vida, pero nunca podrá recuperar su confianza. Esto se debe a que los Géminis son personas intelectuales y eligen pensar por encima de sus emociones. Esta característica les permite perdonar rápidamente.

Además, no espere actuar a espaldas de un Géminis pensando que nunca se enterará de ello. Los Géminis son personajes muy inquisitivos. Si perciben algún secreto, tratarán de descubrirlo. Por eso siempre debe ser honesto y directo con un Géminis. Preferirán la honestidad a la mentira cualquier día de la semana. No importa cuán dura sea la realidad, ellos lo apreciarán.

### No intente controlar a un Géminis

Los Géminis son almas libres que siempre están en busca de su nueva gran aventura. A los Géminis no les gusta que nadie maneje su vida por ellos. Prefieren explorar y encontrar su camino en la vida. Si trata de ponerle restricciones a su pareja o de controlarla de alguna manera, podría encontrar a su pareja Géminis muy infeliz. Permítales la libertad de explorar el mundo por su cuenta y respete su decisión, pero si encuentra a Géminis perdido y en problemas, entonces acérquese y ofrézcale su apoyo. A los Géminis les gusta la independencia, pero también les gusta la compañía.

## No tome lo que dice un Géminis como algo definitivo

Puede que note que los Géminis a menudo actúan de forma contradictoria. Esto se debe a que sus personalidades son multidimensionales, lo que suele confundirlos a veces. Por lo tanto, si un Géminis le dice que quiere ir a dar un paseo mañana, no lo tome como una verdad definitiva. Puede que mañana se despierte y le apetezca ir al gimnasio en lugar de dar un paseo. Por lo tanto, esté atento a estos posibles escenarios que se dan en su relación. En estas situaciones, en lugar de forzar su decisión anterior, debe animarles a que persigan sus nuevos deseos. Si esta situación implica la cancelación de los planes, no se moleste. Si le molesta, hable con ellos sobre cómo le afecta su comportamiento. Acusarles de no estar disponibles y de ser complicados no será la solución correcta para esta situación.

Estos son algunos consejos a tener en cuenta si tiene una relación con un Géminis, pero en el próximo capítulo exploraremos la compatibilidad de Géminis con el resto de los signos del zodiaco. Exploraremos las relaciones de forma que se abarque tanto a los Géminis como a los demás signos del zodiaco. Tenga en cuenta que estos son los rasgos relacionados con el sol, pero un esfuerzo consciente de ambas partes puede cambiar los resultados.

## El amor y los demás signos del zodiaco: Compatibilidad, obstáculos y el curso del amor

En astrología, la interpretación de la compatibilidad con base en el comportamiento que se supone de la interacción de los soles, lunas y planetas, es bastante amplia. La gente, en gran número, mira su horóscopo y considera la compatibilidad con otros signos del zodiaco cuando busca una relación seria, pero no hay ninguna prueba que sustente tales afirmaciones hechas en estas cartas.

Las interpretaciones de compatibilidad se basan en los signos del zodiaco que surgieron en la cultura occidental en los años 70 y se denominan sinastría. En este enfoque, el astrólogo elabora activamente las cartas natales de cada persona mediante diversos métodos. A continuación, compara estas cartas natales para interpretar el grado de compatibilidad de las dos personalidades implicadas.

Las cartas de compatibilidad son un método muy popular para hacer interpretaciones. Tienen en cuenta el signo ascendente de cada persona. El signo ascendente se refiere al signo zodiacal que emerge del horizonte oriental en el momento del nacimiento de una persona. Muchos también tienen en cuenta la posición de la luna y los planetas, pero para realizar interpretaciones precisas con base a tales posiciones, hay que conocer la hora exacta del nacimiento, ya que las posiciones cambian según el tiempo. En este capítulo, analizaremos la compatibilidad con base en los signos solares, ya que considerar otros factores solo complicará la comprensión. Veremos qué obstáculos pueden surgir en una relación, qué tan bien encajan dos signos del zodiaco en términos de amor y también veremos qué tan compatibles son en la cama.

Cada signo del zodiaco es único y se define por sus rasgos. Como ya hemos comentado, estos rasgos juegan un papel importante en la vida amorosa de cada persona, ya que su planeta regente los define. En esta sección, emparejaremos a Géminis con otros signos del zodiaco y averiguaremos qué grado de compatibilidad tienen, y encontraremos los obstáculos que pueden surgir. Hay doce signos del zodiaco en total, y los exploraremos todos, uno tras otro. Esto podría ser largo, así que, démonos prisa.

Un Aries y un Géminis juntos forman una pareja interesante. Mientras que Aries es un entusiasta, Géminis está dotado psicológicamente. Un Géminis tratará de imitar el nivel de energía y pasión de Aries, aunque no lo sienta así intrínsecamente. Al imitar su comportamiento para encajar, ignorarán todas las cosas difíciles (como enfadarse demasiado) y se centrarán en el lado bueno de su personalidad (como la empatía). Los Aries dominarán este tipo de relaciones, aunque los Géminis tampoco tendrán ningún problema en llevar el timón y no dudarán en aportar sus ideas y consejos sobre lo que hay que hacer. Lo mejor de esta relación es que Géminis no se ofenderá fácilmente. Es difícil ofenderlos, e incluso cuando sucede, lo superan con bastante facilidad. En las relaciones modernas, la mayoría de los problemas surgen por la falta de respeto y la ofensa de una persona a la otra. Este no será el caso (al menos no para un Géminis), ya que tienen la piel muy dura y no les gusta guardar rencores. Ninguna de estas personas es celosa, pegajosa o emocionalmente exigente. Un Aries ignorará las partes de Géminis que otras personas suelen señalar y criticar, pero el desafío más importante para estas parejas proviene de la falta de entusiasmo para terminar una empresa. A estas personas les encanta comenzar nuevos proyectos o tareas en su vida y pierden la emoción a mitad de camino. El atractivo de una nueva idea les distrae y pierden de vista lo que ya han empezado.

Tauro y Géminis pueden formar una pareja terrible, que puede terminar en una agónica escaramuza de comportamientos en la relación. Un Tauro suele ser mañoso, pero su terquedad se acentúa cuando está en una relación con Géminis; como ya se ha comentado, los Géminis son muy expresivos y excepcionalmente lúcidos. Esta relación puede parecer una pelota (Géminis) que rebota contra la pared (Tauro). No solo eso, sino que Tauro no comparte el amor de Géminis por el caos. Los Géminis detestan la rutina y son personas impacientes, mientras que Tauro prefiere un buen sentido de la organización. Esto puede dar lugar a muchas discusiones, pero Géminis, al ser maestro de la negociación y la articulación, tendrá ventaja. Esto frustrará aún más a Tauro, que perderá la discusión a pesar de saber que tiene razón. Además, a un Tauro le resultará difícil seguir el ritmo de un Géminis, ya que este es activo y social.

Aunque todo el mundo aprecia el trabajo duro y la dedicación, a nadie le gusta el caos y la falta de eficiencia. Esto podría extenderse también al dormitorio, donde los horarios de sueño de ambos podrían no coincidir. La personalidad social de Géminis tampoco le sienta bien a Tauro, ya que no estará tan emocionado como Géminis en una noche de fiesta. Esto podría plantearle dudas a Tauro sobre el compromiso, ya que, en una noche de fiesta solo, Géminis no dudará en hablar con extraños en el bar o bailar con alguien en la pista. Tauro podría temer que estas acciones puedan conducir a algo que perjudique la relación. Si quiere que esta relación funcione, tiene que estar dispuesto a hacer sacrificios y a adaptarse. El compromiso es importante en esta relación, o podría encontrarla demasiado exigente y agotadora.

Una pareja de Géminis y Géminis solo es adecuada si se limita a una amistad o a un coqueteo informal. La personalidad enérgica y el carácter amante del caos pueden chocar a menudo y acelerar la relación hasta la destrucción. Al ser muy activos y trabajadores, esta pareja podría encontrarse demasiado ocupada para compartir tiempo a solas. A menudo, los momentos románticos no se planifican, sino que se producen de forma natural. Dado que ambas personas serán desorganizadas y carecerán de pasión, podrían encontrarse perdidas en la relación. Puede que les resulte difícil averiguar en qué punto de la relación se encuentran, y ambos tendrán miedo de comprometerse el uno con el otro. Es posible que ambos jueguen con la mente del otro y se engañen a propósito.

En una relación tiene que haber una persona que pueda pensar emocionalmente y otra que pueda ser intelectual. También es necesario que alguien entretenga, para que nadie pierda el interés. Cuando se juntan dos signos del zodiaco iguales, sus puntos fuertes y débiles se magnifican, y esto puede influir en la naturaleza de la relación. Como los Géminis son criaturas sociales, juntos pueden ser amigos increíbles, pero la falta de pasión y emoción suele significar que no son una gran pareja romántica.

Las relaciones entre Cáncer y Géminis pueden ser excelentes o acabar mal. Los Géminis son seres humanos entretenidos que siempre buscan un poco de diversión. Por otro lado, los Cáncer son individuos intuitivos y muy empáticos. Los Cáncer suelen ser reservados y tratan de mantener sus círculos sociales reducidos. Los Géminis son criaturas sociales, por lo que los rasgos de personalidad de ambos chocan. En una cita nocturna, los Cáncer prefieren comer en casa, mientras que los Géminis prefieren comer fuera. Cáncer puede ofrecer una sensación de seguridad a la pareja y reconfortarla, y darle la atención que necesita, mientras que Géminis puede ser la fuente de aventuras en la relación, manteniéndola joven e interesante. Estos rasgos diferentes pueden proporcionar un equilibrio en la relación que, en realidad, puede funcionar bien, pero este equilibrio no surgirá de forma natural, sino que la pareja tendrá que trabajarlo. Asimismo, pueden surgir choques porque los Géminis prefieren ser un alma libre, mientras que a los Cáncer les gusta su hogar y su familia. Esto significa que un Géminis puede no estar preparado para el compromiso cuando los Cáncer lo requieren.

Las peleas pueden surgir porque los Cáncer pueden percibir a los Géminis como carentes de emociones, de empatía y de voluntad. Al mismo tiempo, los Géminis pueden ver a los Cáncer como demasiado emocionales y necesitados. Estas diferencias solo se resolverán si ambos se dan cuenta de que cada uno es diferente y, en lugar de enfadarse, intentan aprender de sus diferencias. La aceptación hará que la relación dure toda la vida.

Los Leo y los Géminis son similares en muchos aspectos y también diferentes en varios puntos. Al igual que Géminis, Leo también es muy sociable y le gusta salir. Ambos quieren ser el tema de conversación y quieren que toda la sala los note. Esta pareja puede pasar un buen rato compitiendo por el protagonismo, pero esto también puede dar lugar a luchas ya que ambos compiten por lo mismo. Al ser sociables, ambos buscan siempre la manera de entretenerse mutuamente. Pueden reírse mucho en esta relación y alimentarse de las vibraciones positivas del otro, pero cuidado, porque los Leo pueden ser dramáticos y un poco extravagantes. Los Géminis podrían no apreciar este comportamiento, ya que valoran más el comportamiento analítico que el impulsivo, y mucho menos el extravagante. Aunque, los Géminis podrían disfrutar de este rasgo eventualmente al viajar a nuevos lugares con Leo y beneficiarse de la perspectiva entretenida de este rasgo. Y la mayoría de los Leo se toman el coqueteo bastante bien, pero algunos pueden no interpretar correctamente las intenciones. Por lo tanto, los Leo pueden llegar más rápido a esperar un compromiso que los Géminis. Si esto sucede, es mejor que aclare sus intenciones sobre el coqueteo al principio de la relación.

Otra clara diferencia entre estos dos signos del zodiaco es que los Leo prefieren la organización y se esfuerzan por evitar el caos. Los Géminis, como ya hemos dicho, son desorganizados y disfrutan de la emoción de un ambiente caótico. En general, esta relación es muy compatible, tanto emocional como físicamente.

Tanto Géminis como Virgo son buenos comunicadores y pueden transmitir eficazmente sus sentimientos y formular sus argumentos. Tienen mentes muy agudas, suelen pensar con la cabeza, y no permiten que su juicio se vea nublado por las emociones. Los Virgo no son pegajosos y no son excesivamente exigentes en una relación, pero pueden malinterpretar el coqueteo casual de un Géminis con otros. En esos momentos pueden volverse mucho más posesivos que cualquier otro ser humano. La ventaja de formular firmemente sus argumentos y pensar racionalmente les permitirá resolver muchos conflictos en la relación.

Los Virgo son muy dedicados a su trabajo y pueden estresarse por los plazos y sus obligaciones. Las discusiones podrían producirse porque Géminis, al ser desorganizado, podría no tomar en serio sus preocupaciones. Además, los Virgo también pueden resultar problemáticos, ya que tienen la tendencia a criticar y a meterse en detalles menores. A los Virgo también les gusta gastar de forma inteligente. Les gusta hacer un uso eficiente de su dinero y toman sus decisiones de compra después de pensarlo bastante. Por otro lado, los Géminis son espontáneos y pueden hacer grandes compras por la emoción. Por eso, el dinero también puede contribuir a los conflictos en la relación. En general, forman una gran pareja, ya que los Virgo tienen los pies en la tierra y pueden atender las necesidades de los Géminis.

Una relación de Libra y Géminis es una relación perfecta según los libros. Ambos son muy compatibles entre sí, y no hay inconvenientes para seguir en esta relación. Hay que tener cuidado de no agotar la chispa de la relación por exceso. Los Géminis son seres humanos coquetos, pero podrían encontrar a «la persona» en Libra. Ambos signos del zodiaco son intelectuales y los debates de esta relación serán interesantes. Las discusiones podrían surgir en estos debates, pero las personas de esta relación se perdonarán fácilmente. El amor por los viajes y la aventura también es común a estos dos signos del zodiaco. A menos que haya una tormenta en el exterior, ninguno de los dos prefiere quedarse en casa. Les gustan las reuniones sociales y se sumarán con entusiasmo a los eventos. El entusiasmo y la positividad de Libra llamarán la atención de Géminis, y estos atributos sacarán lo mejor de un Géminis. Cuando esta relación se vuelva seria, los Géminis deberán tener cuidado porque los Libra serán los primeros en pensar seriamente en el matrimonio. Los Géminis son aventureros, pero esta vez cederán. Al ser indecisos, el matrimonio podría tardar en llegar, pero ambos llegarán a este capítulo tarde o temprano.

A menudo se considera que Escorpio tiene una personalidad oscura, sobre todo cuando se miran sus rasgos de forma aislada. Por lo tanto, la relación de Escorpio y Géminis podría ser una batalla difícil, ya que los Géminis están llenos de corazón. En lo que respecta a las travesuras en el dormitorio, Escorpio es una pareja maravillosa y satisfactoria, pero habrá una evidente batalla emocional en conflicto. Los Escorpio son personajes misteriosos, y esto atraerá a Géminis hacia ellos, pero este carácter misterioso también exige privacidad. Por lo tanto, Géminis tendrá que respetar su intimidad; si no, Escorpio estallará.

Los Escorpio son seres humanos muy instintivos y también reservados, pero son buenos para entender a las personas y sus intenciones. Los Géminis pueden encontrarse a menudo hablando con su pareja sobre sus propios problemas para buscar el consejo de Escorpio, ya que son buenos con la gente y tienen una excelente comprensión de su naturaleza. Debido a este intenso rasgo de Escorpio, un Géminis podría encontrarlos demasiado posesivos. Del mismo modo, los Géminis podrían ser percibidos como inmaduros debido a su naturaleza juguetona que a menudo exhiben en el peor momento. Además, a los Géminis podría no molestarles la forma en que son percibidos, pero a los Escorpio sí. Escorpio también querrá dominar la relación y tener el control. Si no se hacen compromisos significativos, esta relación no durará mucho tiempo, incluso teniendo en cuenta que es una pareja muy poco probable. El compromiso y el respeto mutuo es la única manera de que se produzca.

Los Géminis se sienten naturalmente atraídos por Sagitario debido a su personalidad, que resulta ser bastante divertida. Son seres humanos muy curiosos y prefieren estar en un entorno social en el que puedan desplegar su agudo intelecto. A ambas personas de esta relación les gusta dirigir la conversación hacia temas apasionantes, y la comunicación entre ambas personas será estupenda.

Los Géminis tienen una amplia gama de aficiones e intereses, mientras que a Sagitario le gusta concentrar sus intereses y ser muy apasionado. Cada miembro de la pareja probablemente introducirá al otro a nuevos intereses y actividades durante esta relación, pero el rasgo de personalidad de Sagitario de ser abierto y franco puede resultar molesto para muchos Géminis. Sagitario es muy obstinado, mientras que los Géminis tratan de no juzgar a las personas y las situaciones, y son más analíticos que emocionales. Por lo tanto, la franqueza de Sagitario puede no ser apreciada por muchos Géminis y puede causar conflictos en la relación. Sagitario prefiere un debate civilizado en lugar del intercambio informal de ideas. Pueden considerar a Géminis responsable y culpable de no elegir un bando y defender apasionadamente una idea. Esto puede hacer que Géminis piense que su pareja es superficial, mientras que Sagitario puede pensar que Géminis es irresponsable. Sin embargo, ninguna de las dos acusaciones es cierta en cuanto a los rasgos de personalidad del otro. Si estas cosas molestan a las personas de la pareja se verá más adelante en la relación, pero la pareja se divertirá mucho. Ambos signos del zodiaco son divertidos y extrovertidos. Les encantan las aventuras y siempre están buscando algo que hacer. También tienen un sentido del humor similar y pueden seguir bien el sarcasmo. Por eso la relación de Géminis y Sagitario siempre será enérgica y tendrá chispa a pesar de las diferencias. Según el zodiaco, estas dos personas serán completamente opuestas entre sí. Esta relación irá bien o será un desastre. Dependerá de cuan pronto se aburran el uno del otro.

Los Capricornio tienen una personalidad muy complicada. Son una combinación de pasión, trabajo duro, humildad y determinación. El lado sexy y divertido de los Capricornio se reserva para sus amigos y seres queridos, y no lo exhiben ante nadie más. A un Géminis solo le expondrán una personalidad seria, lo que le hará sentir más como un padre que como un amante. La capacidad de Capricornio para centrarse en sus objetivos y ser muy organizado choca con la personalidad espontánea y caótica de Géminis. Aunque un Capricornio puede ser sexy y romántico, es posible que exprese esta emoción a través de una serie de acciones prácticas en lugar de un comportamiento romántico cursi y desesperado. Esto puede hacer que un Géminis perciba a un Capricornio como aburrido. Esta percepción también podría cruzar la mente de un Géminis porque Capricornio maneja el dinero y vive su vida con cuidado considerable. A los Capricornio les gusta ser cuidadosos con el dinero y ahorrar para una situación desafortunada cuando les pueda servir. A una Géminis le gusta gastarlo tal y como viene.

Además, a los Capricornio les gusta la sensación de previsibilidad en su vida y saber lo que les espera. Les gusta organizar cada paso y practicar lo que quieren decir en una conversación de antemano. Por lo tanto, no les gustan los planes espontáneos ni las relaciones sociales. A los Géminis, en cambio, les encanta salir y emprender una nueva aventura cada día. Al principio, los Capricornio pueden tener la expectativa de disfrutar de la personalidad desenfadada y divertida de los Géminis. Sin embargo, pronto se desvanecerá si ninguna de las partes involucradas estará dispuesta a comprometerse o a comprender la personalidad del otro. El sexo también será divertido y alegre al principio, pero también se volverá demasiado predecible y, por tanto, aburrido, especialmente para los Géminis.

Acuario es un grupo de personas muy seguras de sí mismas y excitantes. Les gusta tener conversaciones profundas, pero también tienen un lado divertido y entretenido. Pueden ser percibidos como fríos, pero son muy intelectuales e impredecibles de forma entretenida. Esta es la razón por la que una relación entre Acuario y Géminis será perfecta y debe ser perseguida sin ninguna duda. Incluso si la relación no funciona demasiado bien, las personas encontrarán en el otro un amigo para toda la vida.

Los Géminis y los Acuario no se forman opiniones sobre otra persona porque no les importa cómo los percibe la gente, y como resultado, no juzgan a las personas. El dúo de Acuario y Géminis hace una gran pareja debido a esto. Además, Acuario encuentra la naturaleza indecisa y amante del caos de Géminis atractiva en lugar de aburrida, a diferencia de la mayoría de los otros signos del zodíaco. Sin embargo, Acuario puede ser un poco reservado a la hora de expresar sus compromisos y sentimientos románticos a su pareja. Este rasgo podría ser una amenaza para la relación con un Escorpio, ya que necesitan la atención continua y la validación de su pareja. En el caso de una relación Géminis-Acuario, este rasgo es inofensivo, ya que ninguno es pegajoso ni posesivo. Ninguna de las personas de esta relación será emocional, y a ambos les gusta tener debates ingeniosos e intelectuales.

Acuario se esfuerza por ser único, y este rasgo proporcionará una emoción a la relación, ya que a ambos les gusta la aventura. Esta aventura se extenderá también a la habitación, donde el Acuario podrá mantener al Géminis en vilo románticamente. Esta relación sobrevivirá a las dificultades y luchas siempre que se respeten los límites personales de cada uno. La única desventaja de esta pareja es que ambos odian hacer tareas, pero a quién le importa cuando están ocupados viviendo aventuras y creando recuerdos.

Los Piscis son seres humanos muy emocionales y cariñosos que piensan de forma intuitiva. Una relación entre Géminis y Piscis podría no funcionar debido a los rasgos de personalidad opuestos. El carácter muy emocional de Piscis no es compatible con la personalidad intelectual de Géminis. Géminis prefiere vivir su vida al máximo siendo aventurero y beneficiándose de la emoción que puede proporcionar cualquier situación. Es posible que Piscis le frene debido a su personalidad exigente. En la relación, Piscis buscará validación, y estará necesitado de atención y amor. Los Piscis pueden ser amantes apasionados y pueden ser muy incondicionales, pero los Géminis no conectan con el amor profundo y emocional. Su idea del amor se basa en la conexión emocional y en la amistad y la alegría resultantes. Debido a este amor emocional, Géminis se sentirá repelido y se apartará de esta relación. Esta acción hará que Piscis se sienta inseguro en la relación y lo hará aún más necesitado de reciprocidad y validación.

Géminis no se toma nada en serio, mientras que un Piscis puede tener creencias firmes y puede ser demasiado vulnerable y emocional sobre ciertas cosas y temas. Este problema también se extiende al humor. El sentido del humor de Géminis puede ser ofensivo para Piscis, ya que puede herir involuntariamente sus sentimientos. Por lo tanto, los Géminis tendrán que ser muy cautelosos con su pareja. También podrían encontrarse dando la vuelta al estado de ánimo de Piscis, que puede ser pesimista y triste a veces. Por último, al igual que Escorpio, Piscis también necesita su espacio para recargarse durante el día, pero a diferencia de Escorpio, no se desenvuelven bien en entornos sociales, y una pareja Géminis-Piscis podría encontrarse discutiendo sobre si salir o no.

Las evaluaciones anteriores se producen tras considerar la interacción entre los signos solares. Si lee el desglose de compatibilidad anterior y descubre que no es adecuado para alguien que le gusta, no desespere. Hay otros planetas y conexiones astrológicas que pueden afectar una relación y pueden influir en la compatibilidad entre dos signos del zodiaco. Para entender mejor su compatibilidad, puede obtener una lectura astrológica oficial de un astrólogo. Si la respuesta sigue siendo la misma que en este libro, puede trabajar en las diferencias mencionadas y aceptarlas. Cualquier relación puede salvarse mediante el respeto y el compromiso.

Parte importante de una relación son los momentos íntimos que se comparten. Cuando la gente busca una pareja, busca a alguien que pueda satisfacer sus necesidades tanto emocionales como físicas. Puede ser difícil mantener una relación a flote si una persona valora más el sexo en la relación que la otra. Tener en cuenta las necesidades de cada miembro de la pareja y satisfacerlas es el quid de la relación, pero en lo que respecta al sexo, esto puede resultar difícil si una persona de la relación no quiere tener relaciones sexuales y la otra sí.

Mucha gente suele definir una relación sana según la calidad de la sexualidad. El sexo puede ser un factor decisivo para Géminis a la hora de buscar una relación. A continuación, exploraremos la compatibilidad de los diferentes signos del zodiaco en lo que respecta al sexo.

La química sexual con un Géminis no es la mejor que Aries ha experimentado en la vida con sus parejas anteriores. Los Aries son personas que necesitan un cierto sentido de conflicto para aumentar sus impulsos sexuales. La química sexual Aries-Géminis será intensa, y la pasión y la creatividad del Aries serán bienvenidas y apreciadas en el dormitorio por Géminis. Los Aries también son propensos a dominar en el dormitorio, y Géminis apreciará esta dinámica. A Géminis le excitan los amantes verbales y le gustará que los Aries hablen de sus planes. Por último, Géminis también será más adaptable en el dormitorio y se volverá más atrevido para igualar el impulso de Aries.

Los Géminis son expertos con sus narraciones en el dormitorio, pero este no es el fuerte de Tauro. Tauro es genial en el acto físico en la cama, pero no en las conversaciones, lo cual le gusta a Géminis. Al ser aventureros, los Géminis también son muy experimentales en el dormitorio y probarán todo al menos una vez. Es posible que prefieran un encuentro rápido de vez en cuando y que intenten salirse de la rutina para mantener las cosas interesantes. Esto es algo a lo que Tauro no se inclinará tanto.

Al tener personalidades divertidas, una pareja Géminis-Géminis prefiere el sexo fortuito ligero a algo con muchas emociones. Les gusta estimular sus deseos sexuales a través de llamadas telefónicas, mensajes de texto y actuaciones. Pueden ser percibidos como superficiales por otros signos del zodiaco, ya que les repele el sexo emocional, pero se satisfarán plenamente el uno al otro y nunca se aferrarán demasiado, permitiendo que la otra persona tenga su espacio personal.

A los Cáncer les gusta el sexo con sentido, profundo y emocional. Esto choca con la personalidad de un Géminis que prefiere la diversión a las emociones. Los deseos sexuales de Géminis podrían no ser plenamente satisfechos por Cáncer porque podrían sentir que sus estilos no coinciden. Del mismo modo, los Cáncer también podrían sentirse insatisfechos. Esta insatisfacción puede eliminarse si ambos se aprecian. Comunicarse con un Géminis cuando se necesita un abrazo puede ayudar a los Cáncer. Del mismo modo, si algo le falta a un Géminis, puede comunicarlo a su pareja Cáncer.

Leo y Géminis también tienen una gran química en el dormitorio. La química sexual es grande entre ellos, ya que Leo ama cuando Géminis pronuncia vívidamente sus planes sobre lo que desean hacer en el dormitorio. Ambos aprecian la diversión sexual ligera en el dormitorio, que, como hemos visto, no es correspondida por muchos otros signos del zodiaco. A ambos les gusta ser aventureros en la relación y podrían experimentar al aire libre y dentro de casa. Esta relación es un gran comienzo para que un Géminis/Leo supere cualquier tipo de pudor o vergüenza que tenga con su vida sexual.

Para Virgo y Géminis, las emociones en el dormitorio no importan, pero esto puede ser un problema, ya que el sexo podría carecer de cualquier forma de intimidad en una relación Virgo-Géminis, pero a esta pareja también podría gustarle esta relación porque no es necesitada y respeta su espacio personal. Los Virgo pueden ser demasiado predecibles para los Géminis en cuanto al sexo, y podrían aburrirse pronto. Esta pareja también aprecia el buen sexo telefónico o los juegos de rol. Los Géminis podrían adoptar el papel de dominador en la relación, mientras que Virgo será el sumiso.

El sentido imaginativo y las capacidades físicas de un Libra y un Géminis son tan brillantes que seguramente lo pasarán muy bien en el dormitorio. Ambas personas aportan dinámicas diferentes en el dormitorio. Libra aporta el romance a la relación, mientras que Géminis aporta el aspecto de la aventura. Esta relación se caracterizará por los divertidos juegos de rol antes del sexo y por diversos juegos de seducción que serán la fuente de energía.

Aunque las emociones y la pasión de Escorpio durante el sexo complementan el enfoque de diversión sexual de Géminis, no durará a largo plazo. Eventualmente, un Géminis podría encontrar que esta relación es demasiado exigente, y el aspecto emocional podría ser una gran desventaja para ellos. Escorpio y Géminis tienen necesidades opuestas en la cama, lo que puede hacer que el sexo sea insatisfactorio para ambas partes después de un tiempo, pero comprender las necesidades del otro puede evitar que experimenten esos problemas. No es tan malo adaptarse y no es tanto el sacrificio como parece. Además, los Escorpio son muy propensos a experimentar en la cama, y su sentido de la espontaneidad y la imprevisibilidad pueden mantener las cosas interesantes.

Entre un Géminis y un Sagitario, el sexo será ligero y divertido, y la pareja será muy espontánea y aventurera en sus encuentros sexuales. Ambos disfrutan por igual de la experimentación en el dormitorio y probarán cosas nuevas. Esta pareja podría llevar las cosas fuera del dormitorio e involucrarse en cosas arriesgadas. Ambas personas son intelectuales y la charla será parte de la cita, pero el sexo implicará algo más que conversaciones en esta relación. A los Géminis les encanta el impulso sexual de un Sagitario, mientras que el aspecto verbal que los Géminis aportan a la cama excita a Sagitario. Esta relación puede convertirse en un compromiso a largo plazo si ambos hacen ajustes y piensan con la cabeza. Si las cosas van bien, esta pareja también tiene posibilidades de acabar casada.

A los Capricornio y a los Géminis les encanta el sexo desenfadado, y este aspecto se apreciará en la relación porque no habrá restricciones ni expectativas de comportamiento. Habrá una pasión extrema en la relación, y los Capricornio pueden enseñar a un Géminis más sobre el rendimiento físico y empujarlo a cruzar los límites de una simple charla. Además, los Capricornio tienen una gran resistencia en el dormitorio y pueden ser muy apasionados cuando se combinan con la naturaleza experimental de un Géminis, pero hay posibilidades de que esta pasión se vea pronto ensombrecida en el largo plazo cuando se instalen sentimientos de insatisfacción.

Acuario y Géminis serán una gran pareja en la cama, ya que ambos no son muy necesitados ni pegajosos. Se tomarán las cosas con rapidez y quitarse la ropa no les llevará mucho tiempo. Empezarán a tener relaciones sexuales muy pronto en la relación. Además, estos signos del zodiaco no tienen que tener necesariamente una relación para tener sexo. Pueden ser amigos y ocasionalmente también tener sexo sin borrar las líneas de la amistad. También pueden inventar historias muy eróticas para su dormitorio debido a sus rasgos imaginativos y creativos. Esto significa que ambas personas pueden mantener siempre la excitación en la relación. En resumen, ambos son muy compatibles, tanto dentro como fuera del dormitorio.

A los Piscis les gusta tener un significado más profundo y un vínculo emocional cuando tienen sexo, mientras que a los Géminis no les gusta cuando la emoción está ligada al sexo. Más bien, les gusta la diversión y la exploración sin conexión, pero con mucha experimentación. Esta diferencia en lo que consideran un buen sexo a menudo hace que la pasión se desvanezca pronto. Después de un corto plazo de tener relaciones sexuales, las cosas empiezan a ser insatisfactorias en el dormitorio. Cuando Géminis intenta ser independiente, aumenta la inseguridad que experimenta un Piscis. Esto hace que un Piscis esté más necesitado, y un Géminis podría no proporcionarle la validación que anhela. Si las personas involucradas en esta relación pueden pensar con sensatez y comprometerse para ajustarse a las necesidades del otro, esta relación puede vencer muchos obstáculos.

Esto le ayudará a explorar sus opciones amorosas si cree que el sexo ocupa una parte considerable de su vida y es importante para usted. Pero, al igual que la sección anterior, esta sección también se basa en el Sol y no tiene en cuenta los aspectos específicos del momento del nacimiento, planetas y posiciones de la Luna.

# Capítulo 5: El Géminis social

Los Géminis tienen una personalidad única que puede llevarles a tener una vida social próspera. En el siguiente capítulo se analiza todo el perfil social de los Géminis. Esto implica un análisis detallado de las diferentes situaciones sociales y la relación de Géminis con otros signos del zodiaco. La lectura del siguiente contenido puede ayudar a los Géminis a desenvolverse en situaciones sociales difíciles. Este capítulo también es esencial si tiene un compañero Géminis en su vida y quiere entenderlo mejor. Podrá hallar indicaciones útiles que le ayudarán a crecer en su relación con un amigo Géminis.

### El mapa social de un Géminis

A estas alturas, ya se ha hablado de la mayoría de los rasgos comunes de los Géminis, pero esta sección cubrirá aquellos rasgos relevantes para situaciones sociales como las fiestas. Las situaciones sociales, como el trabajo, no se tratarán en este capítulo, ya que se consideran perfiles distintos y se tratarán en capítulos posteriores.

Géminis ha sido descrito como el signo zodiacal más social de la rueda del zodiaco debido a sus rasgos de comunicación y curiosidad. Estos rasgos les llevan a establecer una sólida relación con las personas que les rodean. La interacción con su comunidad también forma parte del rasgo de la casa regente, por lo que no tienen que buscar mucho para hallar conexiones satisfactorias. Estas conexiones estimulan mentalmente a los Géminis, por lo que se trata de algo similar con situaciones sociales, como una fiesta.

Dependiendo de sus cartas natales, las personas heredan diferentes rasgos de sus signos/planetas regentes. La mayoría de los Géminis tienen esta ardiente curiosidad por saber más sobre la vida. Teniendo esto en cuenta, es seguro asumir que los Géminis se encuentran entre las personas más extrovertidas de una fiesta. Los Géminis suelen interesarse por el público/los participantes de un evento o fiesta más que por la fiesta en sí. Su capacidad innata para comunicarse sin esfuerzo es un don que utilizan muy sabiamente en estas situaciones. Su elocuencia es uno de sus puntos fuertes y puede sacarles de los peores malentendidos de la vida.

Los Géminis también tienen la capacidad de adaptarse a diferentes situaciones. Pueden reconfigurar su cerebro más rápidamente que algunos de los otros signos si se enfrentan a una situación para la que no estaban preparados, ya que básicamente se han enfrentado a su doble naturaleza durante toda su vida. Ambas habilidades ayudan a acercarse a extraños y a conectar con ellos a nivel humano. Estos rasgos hacen que las interacciones azarosas sean fáciles y naturales para los Géminis.

Una noche ideal para un Géminis consiste en salir de bar en bar con un par de sus amigos más cercanos. Siempre estarán abiertos a una conversación reflexiva en los bares a cambio de unas cuantas copas. Entablar una conversación satisfará su mente mientras la actividad que les rodea les hará sentirse como en su elemento natural. Tanto si un Géminis está soltero como si no, siempre tendrá una noche de diversión si se trata de actividades de bar.

Los Géminis también tienen un par de rasgos más que pueden ayudarles a desenvolverse en una fiesta. Los Géminis son almas independientes, por lo que no temen hacer cosas por su cuenta. Esto significa que quieren hacer algo más que bailar o beber en una fiesta. Por lo tanto, salir de fiesta con ellos contribuirá a una experiencia más completa en lugar de que sea una noche de derroche que acabe provocando una resaca. Dependiendo de su individualidad y del posicionamiento de su casa (posicionamiento de la cúspide), los Géminis pueden variar desde buscar una experiencia de fiesta muy salvaje hasta una experiencia más completa, pero una cosa es segura: ninguna fiesta es una fiesta aburrida con un Géminis.

Una fiesta ideal para un Géminis comenzará con normalidad, como cualquier otra fiesta, pero es solo cuestión de tiempo para que se aburra y se vaya o haga algo para hacerla más interesante. Un montón de desconocidos interesantes deberían formar parte de la fiesta para que los Géminis puedan ejercitar sus rasgos y tener intercambios reflexivos durante toda la noche. Otra característica de una fiesta ideal para los Géminis incluye un montón de juegos de fiesta salvajes. «Salvaje», en este caso, significa absolutamente entretenido y divertido, y en muchos casos, puede llegar a ponerse muy personal también. A los adolescentes y adultos Géminis les gustan los juegos de este tipo que sacan a relucir los detalles personales de la vida de una persona, ya que siempre buscan algo interesante sobre lo que charlar.

Otro rasgo social de los Géminis es involucrarse en los chismes que circulan. Los Géminis nunca lo admitirán, pero les encanta chismosear, ya que eso también forma parte de la comunicación, y saca a relucir muchos detalles interesantes (de la vida de las personas) para satisfacer sus ansias mentales. Como Géminis, puede identificarse con este último detalle de todo corazón, ya que sabemos que no lo admitirá ante nadie más en realidad.

Algunos Géminis (que tienen una posición única en la carta natal) pueden no cumplir con la mayoría de los rasgos explicados anteriormente para un entorno social. Depende de las cúspides y las casas que el astrólogo averigüe, pero diferentes actividades pueden sacar lo mejor de ellos en una fiesta. Muchos pueden ser despreocupados mientras que otros pueden decidir dedicarse solo a las actividades. Realmente depende de la personalidad del individuo, pero los rasgos básicos de los Géminis pueden seguir observándose con frecuencia.

Hay otro factor decisivo sobre cómo los Géminis interactúan y se comportan con diferentes personas en una fiesta (o en un entorno social). El signo del zodiaco de la persona con la que se relaciona también importa. La compatibilidad es una métrica que los astrólogos suelen utilizar para decidir si dos signos serán compatibles en diferentes actividades/etapas de la vida, como el amor, el matrimonio, la amistad, el sexo y otras cosas similares. Podemos examinar la relación de los Géminis con cada uno de los signos del zodiaco para ver quién sacará lo mejor de ellos. Los resultados también mostrarán por qué los Géminis pueden reaccionar negativamente ante una persona en un bar o en una fiesta.

Géminis es muy compatible con Acuario, ya que ambos tienen rasgos bastante similares y buscan cosas que el otro está dispuesto a ofrecer. Nunca se les acabarán los temas de conversación y comparten algunos rasgos de doble personalidad, lo que significa que pueden cambiar de actividad en actividad a lo largo de la fiesta extrayendo la mayor diversión de cada una. Acuario y Géminis hacen buena pareja en muchos aspectos de la vida, y este aspecto social también puede dar lugar a una sana amistad entre ambos. Pueden vincularse con bastante rapidez, pero es raro que ambos tengan sentimientos similares hacia algo.

Tanto Libra como Géminis representan a las personas sociales, por lo que siempre tendrán una química juguetona entre ellos. Incluso pueden llegar a ser mejores amigos, pero pueden causar un choque de dos alfas en una fiesta. La unión de fuerzas puede provocar los celos de mucha gente, y pueden recibir miradas de otras personas a lo largo de la fiesta. Los Libra pueden sentir esto como una validación, pero los Géminis tienen emociones bastante diferentes, por lo que sus emociones no coincidirán.

Géminis y Aries se describen como una pareja más bien fría y caliente. Durante una fiesta, los aspectos opuestos de sus personalidades pueden atraerse mutuamente, mientras que otros aspectos pueden hacerlos desviarse. Esta situación se da cuando un signo de aire se encuentra con un signo de fuego, y puede volverse bastante aventurera y apasionada muy rápidamente.

Leo y Géminis son de los signos más egoístas, y su conversación puede hacer que ambos se aprecien mutuamente. Sus diferencias los hacen atraerse mutuamente, por lo que esta también es una mezcla de fuego y aire.

Sagitario y Géminis pueden tener una conexión instantánea por lo similares que son. Pueden sorprenderse de lo parecidos que son cuando hablan en una fiesta, pero ser demasiado parecidos puede no evitar que ambos continúen esta amistad.

A Géminis le gusta la atención, y Tauro es un signo que está dispuesto a darla. La interacción entre ellos en una fiesta seguramente hará surgir una relación fructífera, pero puede cuestionarse cuánto durará; sin embargo, es satisfactoria por el momento.

Géminis y Piscis pueden formar una conexión única centrada en su creatividad. En una fiesta, pueden seguir hablando de su lado creativo. Ambos tienen emociones diferentes y puede que no se entiendan a largo plazo.

Los Escorpio tienen una personalidad intensa y son un desafío directo a la personalidad de los Géminis. Los Géminis pueden sentirse intrigados o repelidos, pero si tienen una conversación inicial que va bien durante una fiesta, entonces es probable que hayan encontrado a alguien que pueda mantenerlos entretenidos.

Cáncer y Géminis tienen una compatibilidad bastante positiva porque los Géminis quieren sentirse apreciados y desean atención, y los Cáncer pueden dársela, pero la tendencia de los Géminis a desinteresarse con bastante rapidez podría no permitir que esta relación crezca.

Puede que Capricornio y Géminis no sean los compañeros perfectos en una relación, pero su conexión puede ser bastante divertida en una fiesta. La pose del Capricornio desanimará al Géminis, pero su curiosidad puede conducirle a lo largo de toda la conversación. Puede que no sea divertido, pero seguirá siendo interesante.

La combinación de Géminis y Virgo no es la mejor conexión que un Géminis puede tener en una fiesta. Los Virgo tienen demasiados muros, y al principio, la conexión puede ser interesante, pero el Géminis acabará por sentirse desinteresado y huirá.

Muchas de las mejores conexiones que puede tener un Géminis son con otros compañeros Géminis. Esta combinación será divertida tanto para los Géminis como para los demás en la fiesta o en cualquier otra situación social. Esto se debe principalmente a lo similares que son ambas personas y a cómo toman al instante todas sus decisiones en la vida. También se relacionarán con la vida del otro, lo que podría ser el comienzo de una incipiente amistad.

### Amistades de Géminis

¿Se ha preguntado alguna vez por qué no puede entablar una conversación con su compañero Géminis? Hay un par de maneras sencillas para que la gente se haga amiga de los Géminis, y esta sección hablará de algunas de esas maneras. Esta sección también es importante para los Géminis si quieren aprender sobre cómo hacer amigos según sus rasgos zodiacales.

Los Géminis no tienen miedo de expresar su opinión, por lo que es mejor que inicie la conversación y le deje tomar el asiento del conductor. Los Géminis son bastante seguros de sí mismos, por lo que hacerles un cumplido puede funcionar al principio, pero si se les sube la autoestima con regularidad no se llegará a ninguna parte en la relación. Intente contribuir a la conversación estimulándoles mentalmente. Puede hacerlo creando nuevos debates y opiniones controvertidas para demostrar que están equivocados. Los Géminis se creen muy inteligentes (lo cual puede ser un error), por lo que debatir con ellos es bastante divertido. Puede construir una buena química al hacer esto, y eventualmente, los Géminis le van a considerar divertido. Hacer esto permite que las cosas sigan siendo interesantes, lo que será una propuesta atractiva para los Géminis. Los Géminis irán a donde su mente curiosa los lleve, por lo que sería difícil para ellos no entregarse a una conversación divertida que invite a la reflexión, donde se les permita tener el centro del escenario.

Eventualmente, también puede ayudar a Géminis a decidir entre dos opciones/opiniones fuertes, ya que puede resultarles realmente difícil decidir solos. Esto también añadirá otra capa a la dinámica de su relación. Puede dar su opinión sobre los dos y luego su veredicto final sobre lo que deberían elegir. Estas pequeñas cosas también pueden convertirse en una conversación que invite a la reflexión y que mantenga el interés de Géminis. Recuerde siempre hablar de cosas diferentes, ya que hablar de lo mismo acaba por aburrirles.

Un problema común con el que se encuentra la gente cuando intenta hacerse amigo de un Géminis es su falta de interés, pero los Géminis pueden estar preocupados por otras tareas, ya que también se les describe como una mariposa social. No solo tienen un par de amigos íntimos, sino muchos, así que tiene que esperar su turno y ser paciente con ellos. Cuando usted se les cruza por la mente, con total seguridad responderán positivamente. Este es un rasgo común de los Géminis que la gente tiene que aceptar, ya que así es como se conectan. No puede cambiarlo; solo puede ser paciente y cosechar los frutos de esta relación recién formada.

Otro punto sobre la amistad con un Géminis es que, si quiere pasar tiempo con ellos, tiene que estar preparado para muchas actividades de movimiento. A los Géminis no les gusta permanecer en un mismo lugar durante mucho tiempo, por lo que necesitan cambiar de escenario cada pocas horas. Este es el efecto de su rasgo de aburrirse fácilmente. Asegúrese de sugerirles algún buen lugar que tenga en mente cuando le pidan alejarse del lugar donde se encuentren inicialmente. Así, podrá controlar la situación, que de otro modo podría desembocar en algún lugar que no le resulte divertido. En este párrafo se hace hincapié en «sugerir», ya que a los Géminis no les gusta que les digan lo que tienen que hacer. Haga que parezca una idea mutua y, con suerte, le seguirán.

Los Géminis son bastante inteligentes y es fácil hablar con ellos, pero si usted es un Géminis, entonces puedes interesarse por los siguientes consejos que le guiarán a través de las partes críticas de mantener sus amistades. Los Géminis tienen mucho que hacer debido a todos los rasgos mencionados en esta guía, por lo que les es difícil centrarse en una relación a la vez. Su naturaleza innata cuenta con la emoción de conocerlo todo y hablar con todo el mundo. Saberlo todo tiene sus desventajas, ya que puede hacer que las relaciones se desmoronen al revelar secretos. Como Géminis, esto es algo a lo que es muy difícil resistirse, ya que tienen muchas cosas en la cabeza, y están hechos para comunicarse y articular de manera eficiente.

Es difícil mantener a raya su naturaleza de espíritu libre, pero si se centran en conocer menos «secretos», les será más fácil mantener las relaciones. Es difícil tener una relación sin conocer secretos íntimos de la otra persona, pero es posible. Mucha gente lo hace y lleva tiempo haciéndolo. Se trata de encontrar a la gente adecuada que reconozca sus rasgos y decida contarle cosas incluso después de conocerlos.

Otra cosa sobre usted como Géminis es que siempre piensa en usted primero y puede olvidarse de sus amigos a veces. Esto se debe a dos razones. La primera es que esta es la naturaleza innata de los Géminis; se consideran individuos más inteligentes que merecen atención. Esto hace que la gente sienta que los Géminis son narcisistas, pero eso puede estar muy lejos de la verdad. La percepción es la clave y, en este caso, importa la forma en que se percibe a los demás. La otra razón por la que esto es cierto es que tiene tantos amigos que a veces puede descuidar algunos.

Un consejo sencillo para este caso es minimizar su círculo de amigos, pero todos sabemos que eso no funcionará para un Géminis. Debería empezar a centrarse más en otras personas, especialmente en sus amigos. De esta manera, incluso cuando esté solo, estará pensando en los pequeños detalles que le contaron hace unos días. De esta manera, siempre podrá construir relaciones importantes en lugar de dejar pasar las buenas. Muchos pensarán que son invisibles o ignorados, por lo que finalmente dejarán de hacer el esfuerzo de convertirse en su amigo. Centrarse en los pequeños detalles y corresponderlos demostrará que se preocupa por ellos y que se esfuerza por hacerles saber que los quiere.

En el último capítulo de esta guía se tratan con más detalle todos estos consejos. El último capítulo se centra en las necesidades de un Géminis desde la perspectiva de un Géminis y de una persona distinta, de modo que se puedan crear mejores relaciones y más prósperas.

# Capítulo 6: Géminis en el trabajo

La elección de la carrera profesional es una parte importante de la vida de cualquier persona. Decidir lo que se pretende hacer durante el resto de la vida puede ser alarmantemente difícil para cualquiera. En este libro, exploraremos las posibles carreras que Géminis puede adoptar. Nos referiremos a los puntos fuertes y débiles de los que hemos hablado antes para entender las razones para elegir una carrera específica.

El camino ideal para el sustento y la supervivencia es aprovechar sus puntos fuertes. Como ya hemos comentado, los Géminis son conversadores naturales y tienen una gran capacidad de adaptación, pero desprecian el aburrimiento y prefieren las tareas emocionantes y desafiantes al monótono trabajo rutinario. Si usted es un Géminis, le irá mal en un trabajo en el que se sienta obligado. Los Géminis hacen lo que realmente quieren hacer. Son conocidos por hacer su trabajo con pasión y dedicación, pero solo si disfrutan haciéndolo. Al mismo tiempo, les cuesta tomar decisiones cruciales debido a su indecisión y pueden ser imprudentes en ocasiones. Antes de profundizar en las carreras adecuadas para Géminis, piense en las posibles carreras en las que los Géminis prosperan. Piense también en los trabajos que podrían odiar. ¿Qué trabajos realizan los Géminis que conoce? ¿Sus amigos Géminis aprovechan sus puntos fuertes?

## Las mejores opciones profesionales para Géminis

Por sus rasgos de personalidad creativa y franca, los Géminis serán excelentes periodistas. Sus excelentes dotes de oratoria les ayudarán a relacionarse con muchas personas con las que se cruzarán en su trabajo profesional. Entrevistar a personas influyentes es fácil para los Géminis. Utilizando su fascinante creatividad, los Géminis pueden idear preguntas y perspectivas intrigantes. Cualquier periodista está obligado a conocer las noticias por dentro y por fuera. Aquí es donde los Géminis pueden utilizar su naturaleza inquisitiva y sus amplias habilidades de investigación. Pueden observar pacientemente una situación desde todo tipo de puntos de vista y construir preguntas e ideas como producto de su investigación.

Además, el periodismo no es un campo aburrido o estancado. En nuestro mundo moderno, siempre ocurre algo importante en todos los países del planeta. Por eso, los periodistas Géminis rara vez se aburren con su trabajo. Aceptan con gusto los nuevos acontecimientos diarios y trabajan en esto religiosamente. Ser elocuente tanto con la pluma como con la lengua es otro punto fuerte del que los Géminis pueden beneficiarse en esta línea de trabajo. Al reunir una amplia gama de conocimientos, los periodistas Géminis tienen más posibilidades de obtener reconocimiento y acreditación. Como odian intuitivamente los prejuicios, también se les considera creíbles. Anderson Cooper e Ian Fleming son dos de los periodistas Géminis más famosos que conocemos. Si usted es Géminis, le recomendamos que pruebe entrevistar e investigar durante un tiempo. No solo le gustará, sino que también se le dará bien.

Una profesión similar a la de periodista es la de presentador. Los presentadores de programas de televisión, los reporteros de noticias y los presentadores en directo son trabajos en los cuales los Géminis están destinados a prosperar. Estas ocupaciones exigen habilidades interpersonales y confianza, y Géminis parece tenerlas en abundancia. Debido a su capacidad de comunicación, muchos Géminis pueden incluso ser mejores presentadores que periodistas.

Los Géminis, que tienen una gran facilidad para las conversaciones pueden aprender varios idiomas si se trasladan a otro país. Esto puede convertir a los Géminis en excelentes traductores. La capacidad de investigar exhaustivamente sobre un idioma puede ser tediosa para el resto, mientras que un Géminis puede aprender con devoción un nuevo idioma. Las personas multilingües suelen ser también buenos embajadores.

Otra profesión adecuada para los Géminis es la de guía turístico o *blogger* de viajes. A los Géminis les encanta viajar por el mundo, de ciudad en ciudad. Les encanta la libertad de expresión, así como la libertad de movilidad, y este trabajo podría satisfacerla. Ser un buen guía turístico o bloguero de viajes requiere ingenio, capacidad de comunicación y adaptabilidad. No es de extrañar que los Géminis cumplan todos esos requisitos. Ser guía turístico implica ser claro y amable con los turistas, algo con lo que los Géminis parecen sentirse cómodos. ¿Cómo olvidar la creatividad de un Géminis cuando se trata de divertirse? Nunca dejarán a sus turistas aburridos y puede ser un placer estar con ellos en una aventura. Además, los Géminis suelen sentirse cómodos delante de la cámara y se expresan plenamente. Su amor por la exploración puede llevarles hasta el punto más lejano del planeta.

El arte es un campo que utilizará plenamente la creatividad de un Géminis. En nuestro mundo moderno, el arte puede adoptar diversas formas, como la poesía, la escritura, los audiovisuales, la pintura, etc., pero lo común entre todas ellas es la creatividad, la adaptabilidad y la variedad. Los Géminis tienden a sobresalir en estos aspectos y, por lo tanto, suelen ser mejores que otras personas como artistas. Los Géminis con voces elocuentes y melódicas deberían inclinarse a ser cantantes. Los que son alabados por su humor ingenioso deberían probar suerte como comediantes. Los que son más callados que sus compañeros Géminis deberían probar dibujar o pintar para mostrar su creatividad insatisfecha. La actuación es notablemente común entre los Géminis, ya que no solo les da una plataforma para mostrar sus habilidades comunicativas, sino que proporciona emoción, retos y fama a la vida de un Géminis. ¿Hizo recientemente una obra de teatro en su instituto? Fíjese en cuántos de los actores eran Géminis. Si nos fijamos en la industria de Hollywood, algunos de los nombres más famosos que nacieron en Géminis son Morgan Freeman, Kanye West, Paul McCartney, Prince y Michael Moore.

Los Géminis también son increíbles vendedores. Utilizan su personalidad amable, enérgica y sociable para convencer a los clientes potenciales. Ven a cada persona como un objetivo y la venta de los productos como su reto. Al ser buenos aprendices sociales, saben cuándo detenerse y ser respetuosos al mismo tiempo. El marketing también requiere exhaustivas encuestas e investigaciones, algo que a los Géminis se les da razonablemente bien. Ya sea para hacer oír su voz o para conseguir vender sus productos, los Géminis están dotados para ambas cosas.

Otra profesión que Géminis puede desempeñar es la de abogado. Un abogado competente y cualificado puede pensar de forma diferente, fuera de la norma. Esta profesión requiere una gran cantidad de investigación, aprendizaje y exploración. Muchos abogados siguen estudiando incluso después de consolidar su posición en el sector, ya que siempre hay algo nuevo que aprender. Al observar esta profesión en la acción, los abogados son bombardeados con todo tipo de casos diferentes. Un abogado Géminis más empático puede aceptar casos pro bono y ayudar a los necesitados. ¿Cómo olvidar la cantidad de habilidades para hablar en público que se requieren para ser abogado? Un Géminis seguro tiene la actitud adecuada para convertirse en abogado.

La última opción profesional que tenemos para nuestro compañero Géminis es la profesión de profesor. Si se fija bien, esta profesión parece ser perfecta para un Géminis. La enseñanza requiere el poder del discurso persuasivo. Los profesores deben ser capaces de comunicar temas difíciles a sus alumnos de la forma más sencilla posible. Además, están obligados a hacer que cada alumno participe en la discusión de la clase de una u otra manera.

Como ya hemos dicho, los Géminis tienen personalidades enérgicas y francas por naturaleza. Son capaces de involucrar a las masas de estudiantes con el menor compromiso posible. Su presencia activa les permite hacer cualquier cosa para transmitir el mensaje. Tienden a desarrollar ideas y actividades divertidas para mejorar el aprendizaje y convertir una clase aburrida y árida en una interesante. Al igual que en las clases o seminarios universitarios y otros niveles superiores, los profesores Géminis se relacionarán con los jóvenes adultos que se sientan frente a ellos. Es muy probable que establezcan relaciones sanas de alumnos y profesores, en poco tiempo, con sus estudiantes. El mejor impulso que esta profesión puede dar a los Géminis es la oportunidad de interactuar con muchas mentes jóvenes dentro del aula. A lo largo de su vida, los Géminis esperan seguir aprendiendo cosas nuevas. Esta mentalidad es necesaria para prosperar como profesor, lo que refuerza aún más a los Géminis como uno de los mejores candidatos para convertirse en profesores.

Estas son las profesiones que no solo ponen a los Géminis en ventaja, sino que también pueden ser satisfactorias para ellos como seres humanos. No hay ningún problema si un Géminis opta por una carrera no mencionada anteriormente. Al final, la elección de carrera se vuelve subjetiva y depende de lo que la persona sienta y quiera realmente, pero hay algunas profesiones que probablemente no sean compatibles con Géminis.

Sabemos que a los Géminis les interesa una vida aventurera. A Géminis le desagrada mucho cualquier profesión que sea monótona en la práctica. Las carreras rentables y profesionales como las de contable, banquero, administrativo, obrero de fábrica, etc. suelen implicar procedimientos complejos pero similares cada día. Las profesiones que no incluyen mucha comunicación o discusión, con gran probabilidad, acabarán por dormir a Géminis en lugar de encaminarlo rápidamente hacia la productividad. Siempre buscan el sabor de la vida y huyen de los trabajos rutinarios de oficina. Pregunte a sus amigos Géminis, que pueden ser contables o banqueros. ¿Están totalmente satisfechos con lo que hacen para ganarse la vida? Lo más probable es que digan que no.

Pero esto no significa que los Géminis nunca serán buenos banqueros o empleados de oficina. Ser Géminis le proporciona la capacidad de adaptarse rápidamente. Si usted es Géminis y trabaja en una oficina, busca la emoción cada día y solo halla decepción, le recomendamos que le de vida a su lugar de trabajo. Salude a todo el mundo con esa brillante sonrisa suya cada vez que entre. Tal vez puede agasajar a sus colegas más cercanos un sábado por la noche si aceptan la propuesta. Deje una nota de agradecimiento a todo el mundo, desde su jefe hasta el conserje, para que su trabajo sea tan sano como quisiera. Tiene el poder y la energía para levantar a una multitud de personas. Otro consejo es hacer los mejores amigos en su trabajo. Esto, seguro, le hará salir de la cama solo por ver sus caras brillantes. Intente decorar un poco su puesto de trabajo con pegatinas y *post-its* si le lo permiten.

Aparte de las opciones profesionales mencionadas, es posible que otra profesión le intrigue. Al ser seres locuaces, los Géminis deberían encontrar una carrera que les permita aprovechar sus intereses profundos. Busque carreras que le mantengan entretenido. Los Géminis adoran una profesión que les permita enseñar y aprender simultáneamente. ¿Tuvo malas notas en la academia? No se preocupe. Compruebe si convertirse en instructor de gimnasia o en asesor de imagen despierta su interés. Los Géminis quieren una carrera que sea divertida y productiva al mismo tiempo. Así que empiece por enumerar qué es lo que más le gusta hacer. Cuando elija una carrera, hágase algunas preguntas. ¿Me sentiré constantemente desafiado mientras lo hago? ¿Podré aprender algo nuevo con este trabajo? En general, haga lo posible por sentirse cómodo con su profesión lo más rápido posible. Solo entonces podrá sobresalir realmente en su carrera.

## Compatibilidad con sus compañeros

No se puede negar que la motivación individual, la dedicación, la habilidad y el trabajo duro y persistente son la base del éxito profesional. Pero para poder contribuir a una empresa, sociedad, organización o incluso a un pequeño proyecto, el excelente trabajo en equipo y un liderazgo inteligente realmente definen el producto final y su éxito. En esta sección, veremos a los Géminis como líderes o jefes potenciales, así como la compatibilidad que pueden tener con sus compañeros de trabajo.

A estas alturas, sabemos que los Géminis son excelentes con la gente. Tienden a captar el estado de ánimo de sus colegas, sus gustos y disgustos. Su habilidad interpersonal ayuda a mantener a su equipo unido durante todo el proyecto, pero sus debilidades, como la indecisión y la inconsistencia, pueden limitar su progreso a largo plazo. Teniendo en cuenta los rasgos característicos de Géminis, hablemos de cómo sería un jefe Géminis.

Un jefe típico Géminis es probablemente un miembro del trabajo inteligente, innovador, pero impulsivo. Llegan al trabajo llenos de energía y tienden a encantar a sus trabajadores con la pura energía que aportan. Un Géminis dará su corazón por el bien de su profesión. Su pasión por el trabajo alimenta principalmente el esfuerzo y el trabajo duro que realizan para alcanzar su posición en una organización. Si un Géminis llega a la cima como jefe, nadie duda de su compromiso con su línea de trabajo. Por eso, sus compañeros de trabajo los encuentran increíblemente encantadores e inspiradores. Ver a un jefe Géminis y su lealtad debería ser suficiente para motivar a los trabajadores y empleados que le rodean.

Cuando se trata del trabajo práctico real, los jefes Géminis prefieren las colaboraciones verbales y la retroalimentación constante. Es probable que tengan reuniones a primera hora de la mañana y múltiples charlas a lo largo del día. Todos los trabajadores y empleados tendrán voz y voto en las reuniones dirigidas por los jefes Géminis. Durante estas reuniones, puede parecer que todo el mundo es el jefe debido a la cantidad de atención que el jefe Géminis les presta. ¿Trabaja usted bajo el mando de un jefe Géminis? Es probable que se canse de la cantidad de reuniones a las que puede convocar a todo el mundo, pero estas colaboraciones y conferencias hacen que un Géminis siga trabajando. El intercambio de ideas, las discusiones, las críticas y los diversos puntos de vista llenan su depósito de información, que necesita para tomar decisiones. Cuanta más información tenga un jefe Géminis, más posibilidades hay de que sus decisiones sean certeras y eficientes. Además de compartir y aprender ideas, los jefes Géminis celebran regularmente los pequeños éxitos para mantener a todos motivados. Las discusiones pueden incluso pasar convenientemente de las reuniones productivas relacionadas con el trabajo a las conversaciones personales. Esto probablemente se deba al eterno odio que los Géminis sienten por los entornos de trabajo monótonos.

Los Géminis creen en el trabajo en equipo más que en la brillantez individual, pero eso no significa que restrinjan a sus trabajadores a las ideas de la masa. Los Géminis odian ser microgestores y dictar a sus empleados. Desprecian el estilo dogmático convencional de gestión en el trabajo. Bajo un jefe Géminis, los trabajadores tienden a tener pleno control sobre cómo realizar sus tareas, siempre y cuando las realicen con eficacia y en el momento oportuno. Si alguien quiere libertad creativa en el trabajo, prosperará trabajando bajo un jefe Géminis. Esto puede deberse a que los propios Géminis anhelan la libertad creativa en el trabajo. No les gusta que les den instrucciones estrictas para hacer su trabajo y siguen reflejando lo mismo cuando se convierten en jefes. Muchos jefes Géminis pueden incluso tener un grupo especial de personas para ocuparse de las responsabilidades menos importantes. Es posible que se les delegue el control total o mayoritario de muchas tareas, pero conservando su voz en las decisiones finales.

Uno de los mayores puntos fuertes de ser un jefe Géminis es ser capaz de llevar al equipo unido durante todo el proyecto. Los jefes Géminis prosperan en la comunicación y también están abiertos a ideas y propuestas. Quieren estar continuamente informados de cualquier novedad que se produzca. La mayoría de los jefes Géminis tienen una política de puertas abiertas. ¿Se le acaba de ocurrir una idea que cree que beneficiará al proyecto? Entre directamente en el despacho de su jefe Géminis. Estará dispuesto y abierto a escuchar sus propuestas.

Los Géminis son capaces de mantener motivados a sus trabajadores con facilidad. Suelen apreciar las pequeñas cosas como la regularidad y el sentido de la iniciativa que pueda mostrar un trabajador. Celebran sus alegrías personales para desarrollar su sentido de pertenencia al trabajo. También animan a sus trabajadores a interactuar entre ellos tanto como puedan. Pueden asignar una tarea a dos departamentos distintos para aumentar la productividad y permitir que sus trabajadores se conozcan entre sí. Esto es beneficioso para un proyecto, especialmente uno que consiste en muchas tareas de colaboración. Gracias al jefe Géminis, la química general entre los trabajadores mejora y el proyecto prospera.

Un jefe Géminis se siente muy cómodo a la hora de resolver los problemas urgentes de la empresa y superar los obstáculos imprevistos. Sabe improvisar y adaptarse a los cambios repentinos de las situaciones. Con sus diversos conocimientos y experiencia, son capaces de encontrar el camino a través de circunstancias insoportables. Un jefe Géminis es un campeón cuando se trata de reaccionar ante las emergencias. Se apresuran a dar valiosas sugerencias y analizan con agudeza lo que los demás tienen que decir. Esto hace que los jefes Géminis sean excelentes gestores durante una crisis. No entran en pánico bajo presión y mantienen la compostura mientras trabajan.

Si bien los jefes Géminis no son gerentes estrictos, son sorprendentes observadores. Al estar comprometidos con su trabajo, son inigualables cuando se trata de analizar y hacer un seguimiento de las actividades de quienes trabajan bajo su mando. Se apresuran a señalar y discutir los errores cometidos por los trabajadores de su equipo y a comunicarlos y rectificarlos con calma con el culpable. Aunque puede ser un poco embarazoso ser observado y criticado en el trabajo, los empleados que trabajan bajo jefes Géminis progresan y mejoran más cómodamente que el resto. Si empiezan a admirar al jefe Géminis como un mentor, notarán un crecimiento significativo en su profesionalidad y productividad en el trabajo. En resumen, quienes trabajan bajo un jefe Géminis encuentran un atajo hacia la superación personal.

Una de las mejores cosas de los jefes Géminis es que crean una experiencia de trabajo gratificante. Los propios Géminis prefieren la diversión en algunas partes de su vida, lo que se refleja cuando se convierten en jefes. Un jefe Géminis prospera en el trabajo que disfruta y cree que lo mismo ocurre con sus trabajadores. De vez en cuando pueden organizar noches de juegos o concursos con recompensas para el ganador. Además de motivar a todos los miembros a su cargo, socializarán individualmente con ellos durante horas. Además, la mayoría de los jefes Géminis llevan una vida muy social y extrovertida. Suelen divertirse mucho, por lo que cualquiera querrá trabajar para ellos porque es agradable.

Pero al igual que cualquier ser humano, los jefes Géminis son propensos a tener dificultades en ciertos aspectos. Tienen algunos puntos débiles en los que deben trabajar para sacar lo mejor de sí mismos y de su profesión.

Los jefes Géminis tienden a cambiar de dirección y a modificar sus prioridades a lo largo del proceso. Son flexibles a la hora de gestionar estos cambios. Tienden a reaccionar rápidamente a los cambios, lo que puede llevarles a tomar distintas decisiones en poco tiempo. Pueden parecer indisciplinados e incoherentes con sus trabajadores.

Aunque esta práctica puede tener la ventaja de mantener a los trabajadores en vilo, tiende a ser molesta y agotadora. Por eso, trabajar bajo las órdenes de un Géminis suele ser difícil. Los trabajadores pueden no saber qué esperar cada semana. Si usted es alguien que prefiere los métodos dogmáticos y convencionales de trabajo, es probable que le cueste sincronizarse con su jefe Géminis. ¿Usted o alguien que conozca conoce a alguien que trabaje bajo las órdenes de un Géminis? Fíjese en lo frenética que puede ser la rutina de trabajo bajo sus órdenes. Esta incoherencia es lo que puede hacer que un jefe Géminis sea menos eficaz como líder. Por mucho que intente mantener a todo el mundo en la misma línea, puede dejar a la gente atrás en el ajetreo. Si usted es un jefe Géminis, deberá tener mucho cuidado de no sobrecargar de trabajo a los que están bajo su mando. Intente trabajar en su coherencia si ve que dificulta la productividad de sus trabajadores.

Los jefes Géminis son siempre propensos a distraerse. Solo les va bien en el trabajo cuando están entregados y preocupados por este. Si no consiguen mantenerse motivados en un proyecto, es probable que busquen esa emoción en otra parte. Esto puede llevar a decisiones descuidadas y mal calculadas, que pueden resultar dolorosas para los trabajadores y el propio proyecto. La dilación, los viajes al azar y los retrasos en las reuniones pueden hacer que un jefe Géminis sea despedido por sus superiores. Para hacer frente a este defecto, los jefes Géminis deberían contar con un asistente personal o un empleado cuyo trabajo consista en mantenerlos en el buen camino y deshacerse de cualquier distracción. Una buena amistad con una persona igualmente motivada en el trabajo también puede evitar que un Géminis se extravíe. Aparte de esto, los propios Géminis deberían continuar con sus costumbres alegres en el trabajo para mantenerse interesados y dedicados.

Sabemos que los jefes Géminis no son los líderes perfectos. Por eso, necesitan un equipo excepcional y el entorno adecuado para liderar un proyecto. Si trabaja en una oficina o empresa bajo el mando de un jefe Géminis, puede estar seguro de tener un día emocionante y excitante, pero también puede resultar difícil tratar con ellos a veces. En esas situaciones, la mejor opción es ir a hablar tranquilamente con su jefe Géminis. Son personas que saben escuchar, son empáticas y atenderán cualquier preocupación que tenga. Si algo hemos aprendido es que los jefes Géminis y sus trabajadores deben trabajar por igual para ser compatibles entre sí.

Es más que probable que los Géminis no acaben convirtiéndose en el jefe de ningún equipo en su carrera profesional. En esos casos, pueden acabar siendo empleados y colaboradores en un proyecto. Conocer su compatibilidad con todo el mundo puede ser agotador y casi imposible, pero nosotros se lo ponemos más fácil, ya que en esta sección, analizamos la compatibilidad de los Géminis con otros signos astrológicos en el ámbito laboral.

La primera compatibilidad que comprobaremos es entre Géminis y Aries. Los Aries son personas nacidas entre el 20 de marzo y el 19 de abril. Normalmente, Géminis y Aries se llevan muy bien. Ambos tienden a tener personalidades extremadamente enérgicas y aventureras. Si están motivados por la misma causa, lo más probable es que tengan puntos en común y trabajen juntos, pero puede haber casos en los que Géminis y Aries encuentren problemas para trabajar juntos en una sociedad. Cuando trabaje con un colega Aries, Géminis deberá tener cuidado de mantener su espacio en el trabajo profesional. Como ambos tienen personalidades curiosas, es probable que choquen con el trabajo del otro cuando trabajen en el mismo proyecto. Al compartir sus ideas con un Aries, un Géminis debe tener cuidado de presentar solo un extracto de conceptos. Mantener largas discusiones sobre diversas ideas puede llevar a una gran pérdida de tiempo, ya que Aries podría no tomarse las cosas en serio.

Los Géminis tienen mentes creativas e inquisitivas, lo que puede ayudarles a tener ideas brillantes. Por otro lado, Aries es una persona enérgica que podría hacer un excelente trabajo para llevar a cabo los planes que un Géminis concibe. Al complementarse mutuamente y rectificar los errores del otro, Aries y Géminis pueden formar una asociación profesional saludable. Si usted es un Géminis con una idea de negocio interesante, le conviene asociarse con un Aries para llevar a cabo el trabajo. En cuanto a la profesión, Aries y Géminis trabajarán juntos muy bien como vendedores o comerciantes.

Los nacidos entre el 19 de abril y el 29 de mayo pertenecen al signo astrológico de Tauro. Cuando se trata de trabajar con un Tauro, Géminis puede tener ganas de abandonar la asociación al instante. Los Tauro suelen ser trabajadores, precavidos y pragmáticos. Son dogmáticos en la forma de hacer las cosas. Por otro lado, los Géminis son personas aventureras y creativas que buscan la emoción en el trabajo. Ambos parecen tener personalidades opuestas. Mientras que un Géminis preferirá la multitarea, un Tauro se ceñirá estrictamente a sus reglas de realizar una tarea a la vez. Del mismo modo, un Tauro podría no acoger la apertura de miras que puede ofrecer un Géminis. En la práctica, puede ser muy difícil construir y alimentar una asociación saludable entre Géminis y Tauro en el trabajo, pero al poner sobre la mesa ideas opuestas, pueden beneficiarse mutuamente. Por ejemplo, un Géminis podría trabajar en nuevas ideas creativas para la comercialización de un producto, mientras que un Tauro gestionará las agitadas actividades cotidianas como las cuentas, los pedidos, las finanzas, etc.

Como hemos dicho antes, Géminis es un signo de dualidad. Por lo tanto, tener dos Géminis a bordo equivale a tener cuatro personas en su equipo. Una asociación entre dos Géminis podría dar lugar a mucha confusión y discusiones. Los dos Géminis funcionarán como una máquina de crear ideas. Nunca se le acabarán las ideas con dos Géminis en su oficina, pero es igualmente probable que ambos debatan sobre cuál, de las muchas ideas que se les ocurran, será la perfecta. Para una tercera persona, dos Géminis trabajando juntos podrían parecer dos hermanitos que se pelean por el último trozo de pastel, pero estos compañeros Géminis prosperarán en condiciones de fanatismo. Para poder colaborar eficazmente, un equipo de dos

Géminis necesitará un supervisor. La pérdida de entusiasmo en el trabajo significará una caída en la productividad de los dos Géminis. Si usted es un Géminis en un trabajo con otro Géminis, siempre puede cambiar de tareas en lugar de morir de aburrimiento.

Las personas nacidas entre el 21 de junio y el 22 de julio nacen bajo el signo astrológico de Cáncer. Si pensaba que Tauro era lo opuesto a Géminis, estaba ligeramente equivocado. Los Cáncer son personas que prefieren la seguridad y las certezas a cualquier otra cosa. Tienden a ser conservadores y de naturaleza introvertida cuando conocen a gente nueva. Conocer a un Géminis puede ser una experiencia abrumadora para un Cáncer, especialmente si el Géminis se encarga directamente de los objetivos a largo plazo mientras que el Cáncer se centra en las ideas y otras actividades cotidianas. Un defecto de esta asociación es que ambos son propensos a pasar por alto pequeños errores que pueden comprometer el éxito del proyecto.

Los Capricornio son personas nacidas entre el 21 de diciembre y el 21 de enero. Los Capricornio son personas constantes, regulares, sinceras y profesionales, especialmente en su línea de trabajo. Son muy estrictos con los plazos y se esfuerzan por cumplirlos. Además, los Capricornio exigen respeto a sus compañeros. Reaccionan rápidamente ante los insultos y las bromas. Al mismo tiempo, saben apreciar a los demás cuando ven una dedicación sincera y productividad.

Una relación laboral entre un Géminis y un Capricornio es poco probable que funcione debido a la diferencia de personalidades. Es necesario ser respetuoso para trabajar con un Capricornio. Como Géminis tiende a ser hablador, es muy probable que moleste a Capricornio. Una broma casual por parte de Géminis puede dificultar la sociedad, pero si tanto Géminis como Capricornio se entienden y son considerados, pueden conseguir grandes logros juntos.

Los nacidos entre el 21 de enero y el 20 de febrero pertenecen al signo astrológico de Acuario. Acuario es reconocido por sus visionarios y pensadores. Creen que la pura voluntad es la fuerza motriz más fundamental de cualquier logro. Están sinceramente dedicados a su visión y no se detienen ante ningún obstáculo que pueda interferir. Estas cualidades hacen que la asociación entre un Géminis y un Acuario sea imparable. Tanto Géminis como Acuario aspiran a lograr una serie de cosas en sus vidas. Mientras que Géminis puede carecer de motivación para trabajar, los Acuario son las personas perfectas para rellenar su depósito. Esta pareja puede aportar muchas ideas influyentes. Si ambos, Géminis y Acuario, están en sintonía, pueden alcanzar un éxito increíble. Un defecto de esta pareja es la falta de sentido práctico y el exceso de idealismo. Tanto Acuario como Géminis tienden a flotar en una piscina de pensamientos increíbles, pero les falta cuando se trata de una planificación y ejecución meticulosas. Esto puede llevar a desperdiciar mucho trabajo. Sin embargo, es probable que tanto Géminis como Acuario se lleven bien y alcancen el éxito con optimismo mutuo. La mejor colaboración entre ambos será cuando Acuario se encargue de los proyectos a largo plazo, mientras que Géminis se ocupa de las actividades cotidianas.

Los Piscis son personas nacidas entre el 20 de febrero y el 20 de marzo. Al igual que los Tauro, los Piscis son personas introvertidas a las que les gusta trabajar en silencio en proyectos creativos. Mientras que Géminis puede relatarles su vida, Piscis seguirá siendo reservado y misterioso para sus colegas. Esto puede no ser bueno para la asociación con un Géminis, que se aburrirá y desmotivará para trabajar con su colega. Los Piscis también exigen libertad en el trabajo. Esto no es una buena noticia para su compañero Géminis porque se quedará sin con quien discutir o planificar. En general, los dos signos no son compatibles para trabajar juntos, pero tanto Géminis como Piscis son conocidos por ser personas creativas. Si sus ideas y su imaginación coinciden de alguna manera, una asociación entre ellos puede funcionar. Con el compromiso y la comprensión mutua, ambos pueden formar equipo para llevar a cabo una tarea.

Aunque los signos astrológicos pueden o no ser compatibles a veces, uno siempre puede trabajar en la relación con el otro a través del compromiso y la comprensión mutua. Si usted es Géminis, intente acercarse a sus compañeros de Tauro y Capricornio. Siéntese y hable con ellos. Ninguna relación es imposible.

En este capítulo, hemos hablado ampliamente de las posibles carreras perfectas para los Géminis. También vimos la posible compatibilidad con sus compañeros en su trabajo, según su signo astrológico. El propósito de este capítulo era informarle más sobre usted y los demás como compañeros de trabajo. Recomendamos encarecidamente a nuestros lectores que utilicen las enseñanzas para entenderse entre sí y encontrar formas de trabajar juntos.

# Capítulo 7: ¿Qué necesitan los Géminis?

Al tener una personalidad tan complicada, en la que suele haber más de dos personas, los Géminis pueden confundirse a menudo. Como se mencionó en los capítulos anteriores, estos obstáculos pueden dificultar sus experiencias como niños, en el trabajo y como amantes. Aunque todos los rasgos de la personalidad, ya sea de un Géminis o de cualquier otro signo del zodiaco, deben tomarse como una fortaleza y celebrarse, a menudo pueden dificultar las cosas cuando no se depuran o se modifican de acuerdo con su situación. Por ejemplo, si alguien tiene una relación duradera, no puede rehuir del compromiso porque llega un momento en que el destino de la relación depende de las actitudes hacia el compromiso. A veces, la gente no se da cuenta del impacto que sus características pueden tener en una persona o en una situación.

En este libro hemos tratado las actitudes y acciones de Géminis en el trabajo, en una reunión social, como niño y como amante. También hemos hablado de la compatibilidad de los Géminis con otros signos del zodiaco, lo que les permite manejar sin problemas su vida amorosa y elegir a sus parejas después de informarse sobre lo que les ofrecerán y cómo les afectarán, pero aún no hemos hablado de cómo un Géminis puede trabajar con las partes difíciles de su personalidad. Este capítulo está diseñado para hacerlo. Aquí exploraremos varios consejos que pueden permitir a un Géminis ser un mejor ser humano haciendo hincapié en los rasgos que pueden dar lugar a problemas o tensiones. También analizaremos este aspecto desde la perspectiva de un amigo o un ser querido. Exploraremos cómo pueden ayudar a un Géminis a sortear esos rasgos de personalidad y a crear una situación mejor. Esto también les informará de las expectativas que deben tener en cuenta durante una interacción con un Géminis.

### Para Géminis

- Utilice su inteligencia

Los Géminis son individuos dotados con un gran intelecto. Están equipados para pensar mejor que la mayoría de la gente y tienen un coeficiente intelectual más alto que la mayoría de las personas. Al ser un signo de aire, son muy rápidos para pensar y son grandes aprendices, pero no tienen sentido de la organización a pesar de este don. Su personalidad inteligente y encantadora puede permitirles alcanzar un gran éxito en su vida futura, pero esto se ve comprometido cuando procrastinan y no se comprometen a largo plazo. Aquí es donde tienen que utilizar su inteligencia y tomar sus decisiones de forma estratégica. La planificación y la estructuración de su futuro pueden salvaguardarles de los giros inesperados y de los baches que les depara la vida. Su espontaneidad y su carácter aventurero son un rasgo que define su personalidad, pero solo deberían explorarse en situaciones en las que no se enfrenten a una consecuencia significativa. Conseguir un trabajo bien remunerado puede ofrecerles la oportunidad de explorar más países y experimentar más cosas. Deben trazar claramente una línea en la que este comportamiento aventurero sea aceptable y no comprometa la calidad y las oportunidades de su vida.

- No tema a las emociones

Los Géminis tienen una personalidad con dos facetas, lo que puede hacer que se contradigan. También tienen una personalidad extrovertida, que les permite conocer gente y experimentar cosas que alguien de otro signo del zodiaco podría perderse. Su personalidad despreocupada les permitirá ser un buen compañero de trabajo y una persona accesible, pero a Géminis no le gustan las conexiones emocionales. Este rasgo puede ser apreciado a veces, pero también puede hacer que se pierdan amistades y relaciones que necesitan un cierto sentido de reciprocidad emocional. Aunque valorar el intelecto por encima de las emociones es estupendo para las discusiones, es necesario introducir una pizca de emociones en las relaciones y la amistad. Necesitan estar emocionalmente presentes para apaciguar a otras personas y hacerles sentir que importan. Esto les permitirá mantener los vínculos durante mucho tiempo.

- No sea indeciso

Al ser un signo mutable, Géminis suele cuestionarse las decisiones. Una personalidad les sugiere que sí, mientras su otra personalidad les empuja a no tomar la decisión. Esta indecisión también nace del miedo a las repercusiones si toman la decisión equivocada. Los Géminis deben dejar de lado este miedo y permitir que su rasgo aventurero supere su miedo a errar la decisión. Si un Géminis tiene una fuerte intuición que favorece una decisión sobre otra, debe seguirla.

- Controle su mal humor

El comportamiento malhumorado también es producto del rasgo de personalidad de gemelos de Géminis. Es posible que cambien de una decisión a otra y que cambien sus emociones con regularidad, pero no hay que confundir esto con una tendencia «bipolar»; es solo que pueden cambiar rápidamente su forma de pensar. Este comportamiento puede llegar a cambiar el plan de una cita en el último momento, pero este comportamiento no se limita a cambiar de planes. Un Géminis necesita tener en cuenta las emociones de los demás cuando hace cambios repentinos y cuando experimenta cambios de humor.

- Mantenga el sarcasmo al mínimo

Los Géminis son personas rápidas e ingeniosas con un gran sentido del humor. Por eso se llevan bien con mucha gente y pueden ser el centro de atención donde vayan. Su humor también emplea mucho sarcasmo que puede ser malinterpretado por muchas personas. Un Géminis debe ser considerado para no ofender a nadie. Puede disminuir el sarcasmo cuando note que está en un entorno en el que el sarcasmo podría no ser comprendido del todo. En cambio, puede mantener una conversación divertida y alegre y permitir que su humor sea relativamente suave.

- No guarde secretos

Todas las personas tienen secretos que se esfuerzan por ocultar de la gente. La gente no se enorgullece de esto, pero la decisión de contar estos secretos o guardarlos depende exclusivamente de la persona. Uno debe darse cuenta de que, al revelar los secretos, en cierto modo se está liberando del miedo, la restricción o la ansiedad que pueden causar. Los Géminis, al ser muy felices y estar desconectados de las emociones, tienden a tener muchos secretos. Mantener estos secretos puede ser muy agotador emocionalmente y puede consumir mucha energía. Los Géminis podrían perderse la oportunidad de vivir plenamente sus vidas únicamente porque tienen demasiado miedo de revelar sus secretos. Abrirse emocionalmente a la gente y compartir sus secretos personales permitirá a Géminis vivir la vida de forma más aventurera y libre que antes.

- Prepárese antes de una reunión

Los Géminis necesitan conversaciones intelectualmente estimulantes para vibrar. Por lo tanto, prepare un diálogo ingenioso o divertido para que Géminis se interese por usted. Esto también hará que esté en la misma onda que Géminis. Si no tiene nada preparado, no se preocupe. Simplemente hágale preguntas a Géminis a partir de la conversación que lleven. Las preguntas atraen la curiosidad de Géminis, y le harán partícipe de la conversación. Puede utilizar este consejo para conocer mejor a un Géminis y hacerse amigo suyo.

• Sea tolerante

Géminis es un signo mutable; su doble personalidad puede hacerlos parecer a menudo seres humanos incoherentes. Como ya hemos dicho, pueden tener cambios de humor y cambiar de planes repentinamente. Su tendencia a decir una cosa y hacer otra puede frustrar a mucha gente, especialmente a sus allegados, pero los amigos tienen que aceptar a un Géminis como es y fijarse en los rasgos positivos. Este rasgo de doble personalidad también significa que los Géminis son seres humanos muy adaptables que reforman sus actitudes para encajar con diferentes personas. Por ejemplo, en un ambiente elegante, pueden presentarse muy cuidadosos, mientras se muestran muy alegres y ruidosos con su grupo de amigos.

• Ignore el comportamiento inmaduro

A los Géminis les encanta ser el centro de atención y disfrutan haciendo reír a la gente. Aunque son personas muy intelectuales, pueden ser tontos y ruidosos en un entorno social, como en las fiestas. Muchas personas pueden percibir sus gestos divertidos como superficiales y excesivamente coquetos. Intentarán activamente impresionar a la gente y conseguir que se rían, pero quienes no comparten su mismo humor podrían molestarse. Si un Géminis no logra reprimir su humor sarcástico en ciertos entornos, las personas a las que no les gusta ese comportamiento deberían intentar ignorarlo. Si sus acciones le molestan, desvíe su atención a otro lugar o a otra cosa. Géminis no tiene la intención de molestar u ofender a la gente, así que trate de entenderlo y no se lo eche en cara.

- Tienen otros amigos

Los Géminis son personas muy extrovertidas por naturaleza, y esto se ha comprobado y verificado a través de pruebas e investigaciones. Les encanta entablar conversaciones e interactuar con los seres humanos. Siempre están al acecho de los cambios y pueden aburrirse fácilmente de las relaciones y las personas. Por ello, debe tener un número considerable de amigos y conocidos, y no depender en exceso de la compañía de un Géminis. No debe sentirse ofendido si un Géminis no responde a sus llamadas o a sus mensajes de texto porque puede estar ocupado en otra aventura. Volverá cuando sienta que es el momento adecuado.

- No le cuente sus secretos

Compartir un secreto con un Géminis es una mala decisión. Pensar que un Géminis guardará su secreto hasta el fin de los tiempos es una percepción errónea. Al ser muy sociable e interactuar con mucha gente, el secreto podría escapársele intencionalmente o no. Si es intencional, no será por malicia, sino porque es un chisme demasiado interesante para no discutir con alguien más.

Estas son algunas cosas que un amigo de Géminis debe tener en cuenta. El propósito de estos consejos es suavizar la relación que tiene con un Géminis para que cualquier discusión o malentendido pueda ser identificado y solucionado fácilmente. Estos consejos le permitirán fortalecer el vínculo y entender a Géminis a un nivel mucho más profundo que cualquier otra persona.

# Conclusión

Empezamos con el fenómeno del horóscopo y terminamos con una nota positiva sobre cómo las relaciones podrían prosperar si la gente tomará en cuenta sus signos del zodiaco. Como puede confirmar ahora, el zodiaco es mucho más de lo que la gente supone en un principio. Todo el funcionamiento interno se ha expuesto en la introducción. Los lectores deben familiarizarse con la introducción, ya que puede extrapolarse a todos los signos de la rueda del zodiaco. La mejor parte de la información se ha resumido como detalles importantes en la introducción para no comprometer la legibilidad. La información sobre los planetas regentes, las casas, las cúspides, las cartas natales y las piedras preciosas se ha cubierto para mostrar la forma de operar interna de los astrólogos. Se requiere una inmensa cantidad de aplicación matemática por parte de los astrólogos para hacer una sola interpretación. Después de leer esta guía, los Géminis pueden confirmar que hay algo de verdad en todas las interpretaciones.

Esta guía se ha centrado en los diferentes perfiles tratados en el libro. Desde el nacimiento de un ser humano pasando por su vida entera, todos los perfiles han sido discutidos con gran detalle. Se ha dedicado un capítulo entero a cada perfil para poder aclarar todas las diferentes perspectivas sobre dicho perfil.

Esta guía ha intentado abarcar las dos perspectivas que existen en torno a este signo. La primera es sobre Géminis en sí, y la segunda es sobre las percepciones de los otros signos. Esto hace que la guía sea más completa que cualquier otro recurso disponible de un tema similar. ¡Esta es la guía definitiva del signo zodiacal conocido como Géminis!

# Vea más libros escritos por Mari Silva

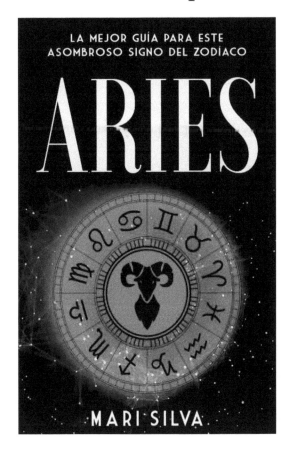

# Referencias

Astro Dentist. (2020). Preguntas frecuentes. Extraído de https://www.astro.com:

https://www.astro.com/faq/fq_fh_owhouse_e.htm

Astrology Fix. (n.d.). Guía del experto en Géminis. Extraído de https://www.astrologyfix.com:

https://www.astrologyfix.com/zodiac-signs/gemini/

Centro del Bebé. (2020). Niño Géminis. Extraído de https://www.babycentre.co.uk/:

https://www.babycentre.co.uk/h1029254/gemini-child

buildingbeautifulsouls.com. (2020). Niño Géminis: Rasgos, personalidad y

características. Extraído de https://www.buildingbeautifulsouls.com/zodiac-signs/zodiac-signs-kids/gemini-child-traits-characteristics-personality/

C.Ht., P. L. (2020). Rasgos de un jefe Géminis. Extraído de https://horoscopes.lovetoknow.com/astrology-signs-personality/traits-gemini-boss

Chung, A. (2020). Tabla de compatibilidad de los signos del zodiaco. Extraído de

https://www.verywellmind.com/zodiac-compatibility-chart-4177219#history-of-astrology

Astrología compatible personal. (2018). Géminis en el amor. Extraído de

https://www.compatible-astrology.com/gemini-in-love.html

Green, T. (2017). 10 PODEROSOS CONSEJOS PARA CONDUCIR A LOS GÉMINIS AL ÉXITO. Extraído de

https://astrologyanswers.com/article/gemini-zodiac-sign-success-tips/

Guerra, S. (2020). Los 5 rasgos negativos de Géminis que debes conocer. Extraído de

https://www.preparingforpeace.org/gemini/negative-traits/#What_are_Gemini_Bad_Traits

Horoscope.com. (2018). Las 10 mejores carreras para Géminis. Extraído de

https://www.horoscope.com/article/top-10-careers-for-gemini/

Meade, J. (2019). Clasificación de los signos del zodiaco según quién es más compatible con Géminis. Extraído de

https://thoughtcatalog.com/jennifer-meade/2018/06/ranking-the-zodiac-signs-by-who-is-most-compatible-with-a-gemini/

Melorra. (2020). Piedras preciosas del zodiaco - Gemas según los signos del zodiaco. Extraído de https://www.melorra.com/jewellery-guide-education/gemstone/which-is-good-for/gemstones-by-zodiac-signs/

Middleton, V. (2019). Guía para principiantes de la astrología. Extraído de

https://www.thethirlby.com/camp-thirlby-diary/2019/5/22/a-beginners-guide-to-astrology

PeacefulMind.com. (s.f.). Air. Extraído de
https://www.peacefulmind.com/project/air/

preparingforpeace.org. (2020). Los 5 rasgos positivos de Géminis que
debes conocer - Guía Astrológica completa. Extraído de
https://www.preparingforpeace.org/gemini/positive-traits/

Prince, E. H. (2018). Seis consejos esenciales para salir con un
Géminis. Extraído de

https://www.dazeddigital.com/life-culture/article/40376/1/dating-a-
gemini-astrology

SCHAEFFER, A. (2020). Cómo llevarse bien con un Géminis.
Extraído de

https://classroom.synonym.com/get-along-gemini-4523008.html

Seigel, D. (2020). Los 7 rasgos fundamentales de Géminis,
explicados. Extraído de

https://blog.prepscholar.com/gemini-traits

Tarot.com. (2020). Compatibilidad laboral de Géminis: El buscador
de emociones. Extraído de

https://www.tarot.com/astrology/compatibility/work/gemini

El buscador, personal. (2019). La guía definitiva sobre cómo
encontrar el amor según su horóscopo. Extraído de
https://thefinder.life/healthy-living/the-ultimate-guide-how-find-love-
according-your-horoscope/

Lightning Source UK Ltd.
Milton Keynes UK
UKHW021840100621
385314UK00002B/481